王墓の謎

河野一隆

講談社現代新書

はじめに

「王墓はなぜ築かれたのか?」本書のテーマはこの素朴な疑問である。エジプトのファラオが築いたピラミッド、中国の皇帝たちが造った山陵など、人類史には王の埋葬のためのモニュメントが数多くある。それらは、王が自らの権力を誇示するために築造したと考えられてきた。したがって「王墓の大きさは権力の大きさに比例する」「王墓は王の権力の象徴にほかならない」という理解が常識とされており、教科書にもそう書かれている。しかし、本書ではこの定説に真っ向から反論し、新たな視野から王墓を理解することが目的である。

私が王墓と初めて出会ったのは、小学校の修学旅行の時だった。その頃の定番の行き先は京都・奈良である。どのような経緯で選ばれたのか知る由《よし》もないが、行程の中に奈良県天理市の崇神《すじん》天皇陵古墳(行燈山古墳《あんどんやま》)が含まれていた。教科書で仁徳天皇陵古墳(大山古墳)を真上から撮影した写真しか見たことがなかった私は、巨大な古墳の迫力とその前面に広がる周濠《しゅうごう》に圧倒された。「古代の人々は、こんな巨大な墓をなぜ築いたのだろうか？」それは小学生にとっては答えようもない難問だった。

　その後、古墳文化の中心地でもある京都で考古学を勉強し、実際の古墳発掘にも参加した。謎の正体に少しでも迫りたいと考えたからだ。私が発掘調査や遺物研究に明け暮れた１９８０年代から２０００年代にかけて、バブル経済から低成長の時代へ至る社会の劇変と足並みを揃えるように、考古学を取り巻く状況もがらりと変わった。連日、最古・最大の新発見で新聞の一面を飾った華々しい発掘調査の成果も、２０００年に発覚した捏造《ねつぞう》事件を境に社会から厳しい目が注がれるようになった。そして近年は、私が考古学と出会った頃には想像もできなかったほど、一大古墳ブームの真っただ中だ。古墳女子に古墳フェス、埴輪をモチーフとしたゆるキャラも枚挙にいとまがない。それに応えるように、博物館の特別展も毎年のように開催されている。そのおかげで古墳が好きな人は格段に増えた。ところが、肝心の「古墳＝王墓は権力の象徴」という定説の方は、手つかずのまま変わっていない。いくら強大な権力者に命ぜられたとしても、日本各地に約16万基もあると言われる古墳を、なぜ人々は反乱もせず3世紀以上にわたって黙々と築き続けたのだろうか？　小学生の頃に抱いたこの疑問に対し、納得できる回答に出会えないまま約40年が過ぎた。

２０１９年に転機が訪れた。古代メキシコをテーマとした特別展準備のため、メソアメリカ（メキシコおよび中央アメリカ北西部）の古代文化と巡り合ったことだ。当地に根付く生贄《いけにえ》という、現代人から見れば凄惨な風習と向き合ううちに、メソポタミアや中国で見られる王墓に殉葬《じゅんそう》・犠牲を捧げる文化と通じるものがあることに気が付いた。そして、そこから、オリエントや東アジア、新大陸などの各地域に広がる「見せる埋葬（Displayed Burial）」の比較考古学が成立することを着想するに至った。本来、埋葬は人目から隠されるものでなければならない。そうではなく、埋葬をあえて見せつけるような、人類史上で見ても特異な社会が、自然環境や歴史・文化の違いを超えて成立した理由を、王が権力を誇示するためですべて済ませて良いのだろうか？　否、王と社会、王墓と神の関係をもっとダイナミックに捉えるべきではなかろうか。さらに、こう言っても良ければ、目が曇っているのは資料に向き合う私たち考古学者の方で、王墓に埋葬された人物を強大な権力者としか捉えられなくなってしまっているのではなかろうか？　この構想を深めて執筆したのが、『王墓と装飾墓の比較考古学』（２０２１年）であり、とりわけ装飾墓について解題したものが『装飾古墳の謎』（２０２３年）だった。本書では、いよいよ王墓についてまとめることで、私なりに積年の宿願を果たしたいと思う。

本書では各章で謎を提起し、それぞれに回答していくことを通じて王墓にまつわる特質のさまざまな面に光を当てる構成とした。

（1）王墓の謎とは何か？
（2）王墓は誰の墓なのか？
（3）王墓は都市文明の副産物なのか？
（4）王墓の規模は、なぜ断続的に大型化したり縮小したりするのか？
（5）王墓にはなぜ高価な品々が副葬されたのか？
（6）王墓はなぜ時代・地域を超えて築かれたのか？
（7）王墓はなぜ衰退したのか？
（8）王墓が解体すると、なぜ国家は成熟するのか？
（9）王墓が人類史にもたらしたものは何か？

以上の問題提起は、「王墓＝権力の象徴」というステレオタイプな理解で停止してしまっている私たちの思考を根本から問い直すものだ。王墓という大きな問題に立ち向かうにしては、ささやかな本書は蟷螂《とうろう》の斧《おの》に過ぎない。もしかしたら、筆者の意図とは裏腹に、本書を読み終わった後にはいっそう謎が深まっているかもしれない。しかし、それでも私は本書を百科事典のような内容にしたくはなかった。その理由は、単なる教養書ではない、自らは物言わぬ王墓と対話するための手引書にしたかったからだ。それを通じてしか、墓造りに明け暮れた時代の人々が発した声なき声を聞き取ることはできないという強い確信が執筆の動機である。

王墓とは、王自らの権力欲のために築かれたものではなく、人々が自ら進んで社会の存続を王に託した時にはじめて誕生する、過去からのメッセージではないか、私はそう考える。この逆転の発想に立って、王のための墓造りが続けられた社会を、定説とは異なる立場から捉えてみたい。本書は、筆者のこのような信念に基づいた思考実験の書なのである。

王墓の比較考古学という大海を泳ぎ切った時、私たちはどのような景色と出会えるだろうか。そこでの新たな展望は、どのような未来を指し示しているだろうか。読者が王墓の語る声にそっと耳を澄ませ、古めかしいモノにしか興味がないと見られがちな考古学者への眼差しを少しでも変えてくれるなら、筆者にとって望外の喜びである。

さあ、この小さなガイドブックを片手に、はじめの一歩を踏み出そう。扉の向こう側には、世界各地の王墓が謎の解明を待っているのだから。

目次

第1章　王墓の謎とは何か？

王墓の発見

1922年、エジプトの王家の谷では、イギリスの考古学者ハワード・カーターが王墓を探し求めていた。そして11月26日の午後、ついに運命の時が訪れた。

カーターはロウソクの火を差し入れた。奥から流れてくる熱気でロウソクの炎が瞬《またた》いた。はじめカーターの目には何も映らなかった。しかし、目が光に慣れるにつれて、ぼんやりとした中から部屋の詳細がゆっくりと浮かび上がってきた。奇妙な動物像、彫刻、家具、いたるところに黄金の輝きがあった。カーターは驚きのあまり、言葉を発することができなかった。薄暗い通路に立っていたカーナヴォン卿がたずねた。

「何か見えるかね?」

彼はこう答えるのが精いっぱいだった。「はい、素晴らしいものが」と。

H.カーター著、酒井傳六ほか訳『ツタンカーメン発掘記』より再構成

よく知られたツタンカーメン王墓の発見エピソードである。この「何か見えるか

ね？」、「はい、素晴らしいものが」という2人の有名なやり取りには、考古学の新発見で歴史を変えるという醍醐味が詰まっている。２０２３年に埼玉で開催された体感型古代エジプト展「ツタンカーメンの青春」では、観客もこれと同じような興奮が体験できる演出が凝らされていた。

また、王墓の発見にまつわる似たような話は、メキシコのマヤ文明の古代都市パレンケで、パカル王墓を発見した考古学者アルベルト・ルス・ルイリエにも伝えられている。

バールを使ってあけたばかりの孔《あな》を通して懐中電灯の光を差し込むと、彼（アルベルト・ルス・ルイリエ）の驚きと喜びの声が碑文の神殿内部に発見された狭い階段に奇妙に響きわたった。マヤ人の人夫や考古学者たちが彼のまわりにひしめき合い、皆突然気でも狂ったかのように質問をし始めた。

「何か見えるんですか？　教えてください、何が見えるんですか？」

「部屋が見える」

考古学者アルベルト・ルス・ルイリエは、壁に寄りかかり、声を詰まらせながらやっと答えた。

「宝物？　財宝があるのですか？」

「わからん。だが素晴らしい！　まるでおとぎ話のようだ！　柱や天井や壁は、氷に刻まれたもののようだし、床は雪のように光っている。細い鍾乳石が天井から垂れ下がっていて、繊細な天蓋のようにみえるし、太い石筍《せきじゅん》は暗い礼拝堂の中にある消えたろうそくのようだ」

『特別展古代メキシコ—マヤ、アステカ、テオティワカン　展覧会図録』より

この発見に至るまでは、マヤのピラミッドは王墓ではなく神殿の基壇だと考えられていた。だから、それを発掘で覆した彼の興奮はひとしおだったに違いない。考古学者冥利に尽きるとはまさにこのことだ。もっとも王墓の発見に熱狂するのは考古学者だけではない。エジプトや中国の王墓出土品の展覧会には行列ができるし、超絶技巧が込められた展示品には感嘆の声が漏れる。１９６５年に東京・京都・福岡を巡回した「ツタンカーメン展」は、黄金のマスクをはじめとする45点が公開され、２９３万１０４８人が来場した。最近でも、２０２３年にパカル王の妃の副葬品を東アジアで初めて公開した特別展「古代メキシコ――マヤ、アステカ、テオティワカン」には、

図1　メソポタミア、ウルの発掘風景
ごったがえす発掘現場。手前中央に発掘者レナード・ウーリーと夫人
（C.L.Woolley, *Ur Excavations II, The Royal Cemetery*, 1927より）

記録的な酷暑の中、東京国立博物館に約33万人が押し寄せた。かように、王墓は私たちの古代ロマンを呼び覚ますこれ以上ない文化遺産なのである。しかし、考古学者が王墓の探索に血眼《ちまなこ》となるのは、ロマンや自身の名誉のためだけではない、別の理由があった。

考古学者の夢と錯覚

19世紀後半から20世紀前半にかけて、欧米諸国は、ヨーロッパ文明のルーツの解明を目的とする調査団を、次々に古代オリエント地域に派遣した（図1）。古代オリエントとは四大文明に含まれるエジプト、メソポタミアを中心として、パレスチナ、トルコ、イラン高原などを含む、現在の中東に当たる地域である。ヨーロッパから見て東に位置するため、「太陽が昇る地域（オリエント）」と名付けられた。ここは文明発祥の地であり、当時、文明と言えばヨーロッパ文明を指していた。だから、古代オリエントは文明の起源を解明できるフィールドとして、欧米各国から数多くの調査団が派遣され、オリンピックのように発掘が競われた。国の威信をかけた大規模な発掘の成果は、本国に送られ、古代の神殿のような博物館の中で、今なお世界中の観光客を魅了している。たとえば、大英博物館には、エジプトのミイラやヒエログリフの解読に用いられたロゼッタストーン、メソポタミアのウルで発掘された王墓のきらびやかな副葬品が陳列され、その前には常に人だかりができている。

王墓発掘の一大ブームは、東アジアも例外ではなかった。中国の河南省安陽《かなんしょうあんよう》に築かれた殷《いん》の王陵は、１９２８年以降、中国人学者の手で発掘調査が行われた。回収された膨大な甲骨文字《こうこつもじ》の解読が進むと、それまで謎だった王朝の系統や社会風俗について、かなり明確に詳細が分かってきた。

王墓の出土品には、後世に託されたメッセージ性の強い文字資料が含まれることが多い。王の威信を永遠に伝えるために作られた豪華絢爛《けんらん》な美術工芸品や、王がいかに偉大だったかをたたえる記録などだ。発掘調査現場から出土した多量の副葬品は、博物館に持ち帰られ専門家による調査研究が進められた。その結果、王朝の系譜や当時の社会組織、信仰体系などがパズルのピースを一つずつはめ込むように復元された。それは古代オリエントを舞台として繰り広げられた文明史に新たな一頁を加え、しかもそれは次々に書き換えられた。当時の発掘調査に、帝国主義を背景とした植民地調査という負の側面があったのは事実だろう。考古学者が王墓を発見することは国家的な名誉とされ、宗主国の博物館を満足させる多量の収蔵品が獲得でき、文明の起源の解明につながるという良い面ばかりに光が当てられてきた。

かくして、考古学者たちにとって王墓の発見は夢の頂点に位置づけられるようになり、いつしか考古学は墓を掘る仕事というイメージが形成されるようになった。

だが、出土品から過去を推理する考古学者が、墓ばかりに注目していて良いわけがない。たとえば、アメリカの人類学者であったG．P．マードックは、さまざまな社会に共通して見られる住居、家族、年齢階層など72の文化要素の比較研究を行っている。このうち葬儀に関するものが文化要素全体に占める割合を調べてみたところ、約5パーセントにすぎなかった。つまり、残る95パーセントに目を向けなければ社会の全体

図2　エトルリアの墓
道の両側に同じような墓が立ち並ぶ共同墓地

像はつかめないことを、この結果は示している。しかし、当時の考古学の主戦場はほぼ埋葬に関連した資料に限定されていた。今にして思えば、副葬品だけで復元される歴史像はかなりいびつであったはずだ。

考古学ではこのアンバランスを埋め合わせるような格言が語られてきた。「歴史の沈黙せる処《ところ》は、墳墓之《これ》を語る」と。これは、19世紀半ばにエトルリア（図2）の文化史をまとめたG・デンニスの言葉で、日本考古学の父、濱田《はまだ》耕作《こうさく》が印象的に言い換えたものだ。墓は集落遺跡とは異なり、引っ越しに伴う片付けや敵の襲来による攪乱が少ない。無文字社会を研究する場合には、未盗掘であれば、墳墓からの出土品は絶好の研究資料を提供する。考古学者が墓に飛びついたのも仕方なかった。今では強弁のように聞こえなくもないが、この言葉は黎明期の考古学ではたいへんもてはやされた。

「王墓＝権力の象徴」説は、いかにして定説となったのか？

ただ、少し冷静になって考えれば気づくように、埋葬資料、なかでも王墓や貴族墓のような上流階級の副葬品だけで過去を復元しても正しい社会の姿は見えてこない。この簡単な道理が、なぜか王墓研究では見逃されていた。それを象徴するのが、「王墓とは、特定個人が自分の権力を誇示するためのもので、支配した多くの人々を、自らを顕彰するモニュメント造営に強制的に従事させた」と見なす見解だ。これを本書では「王墓＝権力の象徴」説と名付ける。さらに、研究が進むと、王墓のように豪華絢爛な施設・副葬品を具《そな》えた墓と、単純な構造で副葬品を持たない墓を両極とし、その間の墓や副葬品の差の上下を、王から平民に至る当時の身分差と考える研究が流行した。これは、考古学によって社会構造が解明できる画期的な方法論として定着し、かくして「王墓＝権力の象徴」説は定説となった。しかし、この定説には大した論拠が無く、検証が必要なことを少数の考古学者は早くから気づいていた。けれども、「王

図3　エジプト、ギザのピラミッド
クフ王（右）とカフラー王（左）のピラミッド。ファラオの権力の大きさを象徴するような巨大モニュメント

墓＝権力の象徴」説を助長したのは、私たちにも責任がある。ハリウッド映画などで描かれるような専制的な王こそ、古代世界の王の典型だという先入観にとらわれていたからである。

「歴史の父」であるヘロドトスは、『歴史』の中でクフ王のピラミッドは10万人の奴隷が20年間働いて築かれたと記している（図3）。そのためかどうかは定かでないが、ドラマや映画では鞭《むち》を手にした鬼のような現場監督が叱咤して労働者に重い石材を運ばせ、その厳しさに労働者が次から次へと倒れていくような場面が出てくることが多い。

こうして、「王墓＝権力の象徴」という

イメージは繰り返し私たちの意識下に刷り込まれ、やがて違和感がなくなった。だから、王墓の被葬者たる「王」や「王様」と聞くと、自らの意のままに強権的に人民を支配した人物像を何の疑問も抱くことなく想像してしまう。巨大な王墓を築き、多くの殉葬や犠牲を伴った古代オリエントや古代中国の王も、そのようなモニュメント造営に多くの人民を徴発できた専制君主に違いないと。しかし、はたしてすべての王墓が、人民を奴隷のようにこき使った強制労働の産物だったのだろうか？　ファラオが神として信仰された当時、人々はその権力に怖《おそ》れおののいて、過酷な築造労働へ自ら身を投じたのだろうか？　彼らは反乱を起こすこともせず、何世紀もの間、従順に王墓を造り続けたのだろうか？　このような疑問は至極正論である。けれども、「王墓＝権力の象徴」説に疑問を抱いた考古学者は少数派にとどまり、定説の声の大きさにかき消され、あまり考古学界で顧みられることはなかった。

定説の呪いは日本の古墳時代にも

　こうした定説の呪縛は、日本の古墳時代研究にも当てはまる。古墳時代は、西暦3世紀半ばから7世紀にかけて、土を盛り上げた墓を列島各地に築いた時代である。少し古い統計になるが、日本列島に築かれた古墳の総数は16万基を超える。日本中にあるコンビニの数の倍以上だ。もちろん、それ以外の時代の人々が墓を造らなかったわけではないし、先行する弥生時代以前にも盛土《もりつち》のある墓は知られている。しかし、古墳時代より後の時代名称が政治の中心地の名前に基づいて付けられた（明治時代以降を除く）のに対し、「古墳」時代は、埋葬法の様式に基づいて命名された珍しい時代である。これは、発見された土器にちなんだ縄文・弥生時代とも異なるし、世界的に見ても類例は紀元前１３００〜前７００年頃、ヨーロッパ全域に広がった骨壺墓地《こつつぼぼち》（urnfield）文化ぐらいしか思い当たらない。骨壺墓地という埋葬法が、当時の文化を代表する名称となったもので、これもきわめて稀《まれ》である。わが国の初期の考古学者たちは、古墳時代と名付けるくらい、古墳から構成される歴史像に疑いを持たなかった。よって、そこから導き出される「王墓＝権力の象徴」説を重用したのも無理からぬことであった。

ご記憶の方も多いだろうが、かつて教科書には世界三大墳墓を比較した図が載っていた（図4）。エジプトのクフ王のピラミッド、中国の秦始皇帝陵《しんしこうていりょう》、日本の仁徳《にんとく》天皇陵古墳で、仁徳天皇陵古墳は、高さでは負けるけれども長さは世界一だと知って子供ながらに誇らしく感じたものだ。しかし、生来のへそまがりだった私は疑問も抱いた。

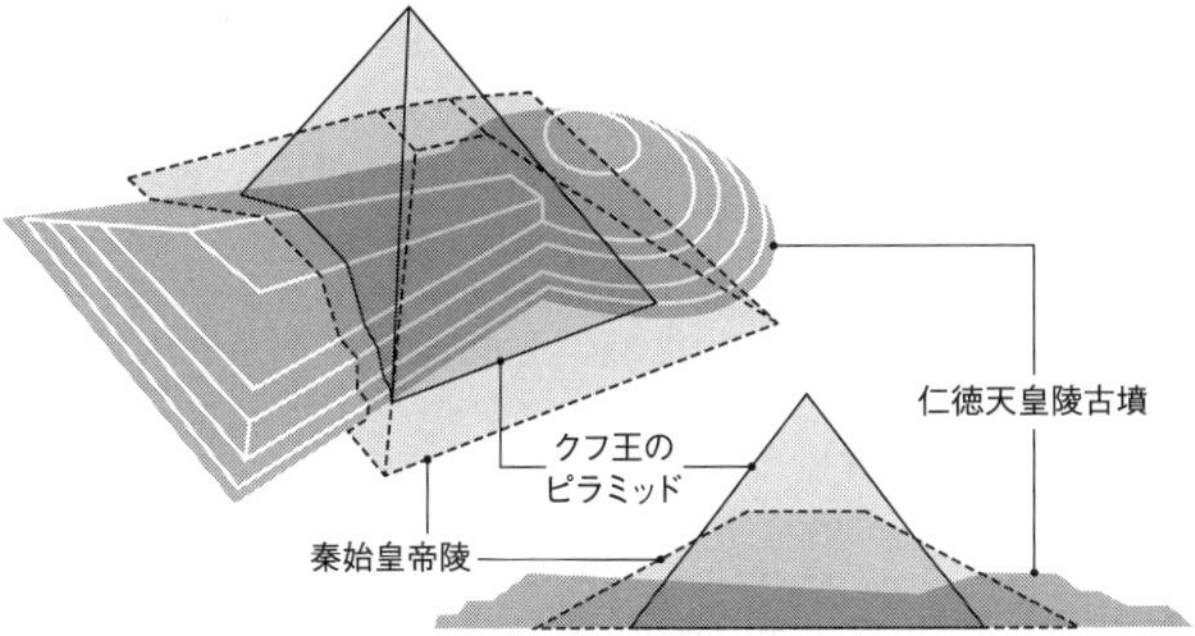

	仁徳天皇陵古墳	クフ王のピラミッド	秦始皇帝陵
全長	約486m	約230m	約350m
高さ	約35.8m	約146m	約76m
体積	約140万m^3	約260万m^3	約300万m^3

図4　世界三大墳墓の比較
仁徳天皇陵古墳、クフ王のピラミッド、秦始皇帝陵の比較。仁徳天皇陵古墳の平面形の大きさが強調されている
（堺市世界遺産「百舌鳥・古市古墳群」HPより作図、作表）

それだけの墓を築く技術があるのに、なぜ生活に直結するような社会のインフラにエネルギーを投下しなかったのだろう？　農地を広げ都市の整備に力を割くのではなく、個人の墓に過ぎない古墳を巨大化するなどナンセンスではなかろうか。当時の人々が、子供でも気づくようなこんな簡単な道理を意に介することなく、営々と古墳造りに明け暮れていたはずがない。
さらに、巨大な墓を築いたのは日本だけではない。エジプト・ファラオのピラミッド、メソポタミアの王墓、中国の皇帝陵、スキタイ王のクルガンなど、王墓は時代や地域を超えて共有される人類の普遍的な文化要素でもある。こう言って良ければ、私たちには王墓を築かねばならない何らかの必然的な理由があったのではなかろうか。だから、古墳の謎とは人類にとって重大かつ根源的な問いだと私は考える。

古墳時代が始まる西暦3世紀半ばは邪馬台国の時代である。邪馬台国の所在地は九州か、近畿か、論争はいまだに決着がつかないし、女王・卑弥呼も謎めいている。そして、邪馬台国の後には、中国の史書から日本（倭）の存在が消える「謎の4世紀」が続く。ところが、古墳時代が終わる7世紀には、飛鳥に都ができて国家体制が整い、日本は外交や戦争などを通じて国際舞台で活躍するようになる。その背景には、仏教が伝来して豪族たちの権威の象徴が古墳から寺院に移り変わったことが影響したと見るのが定説だ。その結果、古墳文化は全国各地で急速に消滅した。このような大転換が350年の間に一気に起こったのだ。つまり、古墳時代が始まると日本は国家形成を加速させ、古墳時代が終わる頃には国際社会の仲間入りを果たす。一見すると、古墳の築造は社会資本の浪費のように思えるが事実は逆なのだ。発展を阻害するのではなく、実際には国家形成を強力に推し進める原動力だったのかもしれない。

古墳時代に先行する縄文時代は約1万年間続いた。弥生時代は、始まりについて議論が分かれているけれども、少なく見積もっても500年以上は続いている。ところが、古墳時代はさらに短期間で、以上に述べたような大きな飛躍を成し遂げた。当然のことながら、当時の日本列島の人々は、古墳ばかり築いていたわけではないだろう。古墳によって国づくりに目覚め、その形が完成した暁には古墳を捨てた。まさに、古墳時代が国家形成期と呼ばれるゆえんであるが、謎めいた時代であることに変わりはない。

しかし、以上のような古墳時代の歴史像も、依然「王墓＝権力の象徴」説の呪縛に囚われている。古墳時代の階層性を語る場合、決まって引用される有名な図がある（図5）。これは、「前方後円墳体制」を提唱した都出比呂志《つでひろし》が、自身の理論を説明するために作成したもので、左上から右下へ雛壇のように古墳のランキングが示される。墳丘を持つ古墳だけでない。雛壇に乗らない最下層には古墳を築けない階層がいることにも留意されている。しかし、この図が意味しているのは墳形と規模という墓制の順位を超えるものではない。古墳の形や大きさが、政治的・社会的な上下関係を示している証拠はどこにもない。ましてや、雛壇の左上を占めている関西の巨大前方後円

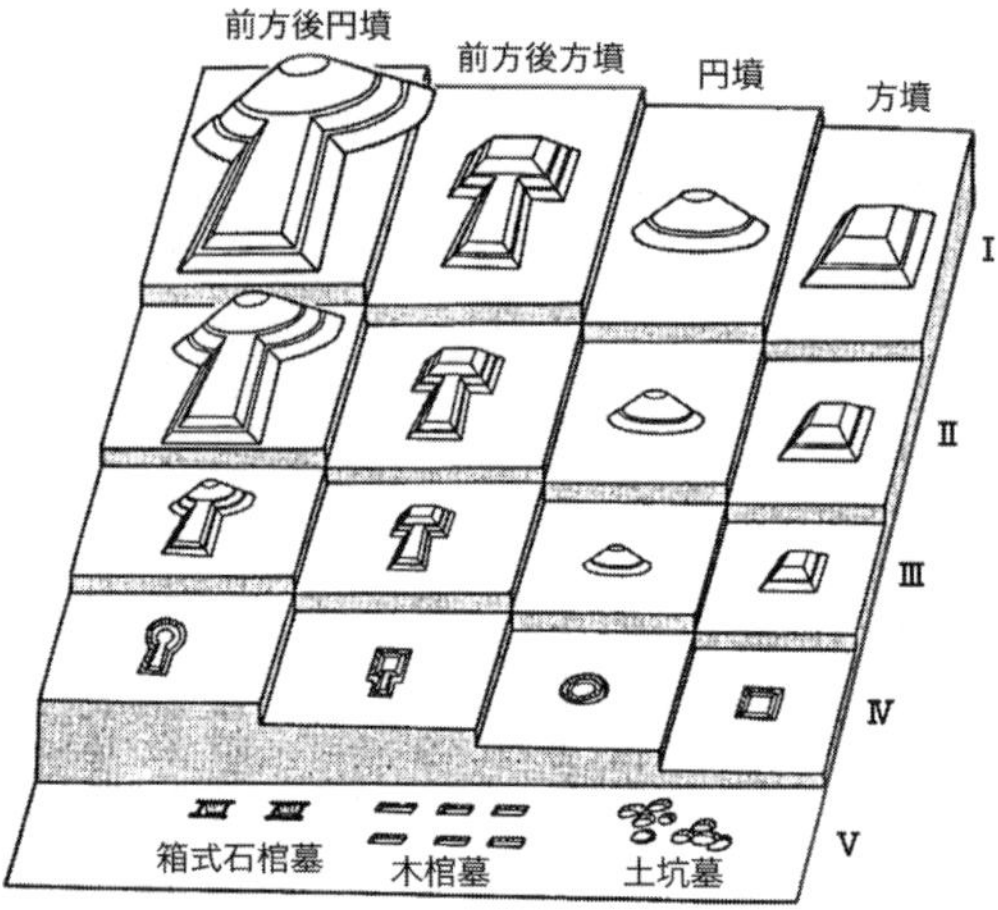

図5　前方後円墳体制を説明した模式図
左上から右下へ雛壇のように古墳のランキングが示されている。最下段には古墳を築けない階層がある（都出比呂志『王陵の考古学』、2000年より）

墳は、軒並み陵墓あるいは陵墓参考地とされ、発掘調査はおろか立ち入りさえ制限されている。要するに、日本考古学で古墳時代の社会を研究することは、飛車角と歩兵を使わずに将棋を指すようなものなのだ。

もっとも、まったくお手上げではない。古墳だけではなく集落や居館、工房など、同時代の古墳以外の調査成果からアプローチすれば良いではないか。なかでも時代像の復元に最も効果的な遺跡として注目されたのが都市だった。かつて、古墳時代と同じく「墓の文明」と呼ばれたエジプトでも、近年では都市の発掘成果が次々に知られ、詳細な社会構造が解明されつつある。日本でも、とくに巨大古墳が集中する場所には、造営キャンプのような都市の遺跡が眠っているに違いない。「王墓＝権力の象徴」ならば、古墳がダメなら都市で証明できるはずだ。しかし、残念ながら近畿地方は早くに市街地化が進み、古墳時代の都市が仮にあったとしても大きく破壊されていた。大阪歴史博物館・NHK大阪放送会館が並び立つ市街地のど真ん中で、昭和62年（1987）に発見された法円坂《ほうえんざか》遺跡の倉庫群などは奇跡的な例だ。しかも、古墳時代には漢字文化の普及が十分ではなかったから、巨大都市遺跡が発見され、巨大古墳を自由に調査できたとしても、都市と古墳を結びつける実証的な術がない。

比較考古学から見る王墓の謎

そこで、日本の古墳にまつわるさまざまな謎を解明するためには、世界各地の王墓を築いた地域を同時に取り上げて、比較考古学の方法で検証するしかないと私は考えた。その前に、「比較考古学」とは何かについて簡単に説明しておきたい。人間の過去を推理し復元する考古学には、得意な領域と不得手な領域がある。発掘すればどんなことでも分かるわけではなく、過去の5W1Hの中で「いつ（When）」、「どこで（Where）」、

「何を（What）」、「どのように（How）」は比較的容易に回答できる謎である。ところが、「誰が（Who）」、「なぜ（Why）」についてはかなり困難だ。普通の考古学では、文字資料が伴っているなどの幸運な場合を除き、ここでお手上げ状態となる。

しかし、幸いなことに人類の歴史を調べてみると、見かけ上類似した現象がいくつもあることに気づかされる。たとえば、一般庶民ではなく、特定個人のために特別に築かれた墓である王墓もその一つだ。そのような現象を取り上げて、因果関係を比較すれば、考古学では不可能と思われた「誰が」、「なぜ」に肉薄できるかもしれない。こうした方法が「比較考古学」で、日本でも最近とみに注目を集めている。そこで、本書では「王墓の比較考古学」を展開したい。そのために、取り上げる謎は次の8つである。

①王墓は誰の墓なのか？

王墓とは王の墓である。王とは権力者である。したがって、王墓は権力の象徴だ。この三段論法の根拠が薄弱なことはすでに指摘した。それは、戦前から古墳の被葬者を大王や有力豪族の墓と想定してきた日本考古学でも同じである。教科書に忠実である限り、「古墳はなぜ築かれたか？」というテスト問題には「有力な大王や豪族が自らの権力を誇示するため、その権力の大きさに従って大小の古墳を築いた」と答えなければならなかった。しかし、本書で警鐘を鳴らしているのは、このような王といえば直ちに権力者であると見なす無批判な前提に対してである。それでは、世界的な視点で見たときに王墓とはどんな墓で、王とは何者なのだろうか？　まず、これを最初に明らかにしておきたい。

②王墓は都市文明の副産物なのか？

古墳時代に都市があったかどうかは定かでない。弥生時代には、大阪府池上曽根《いけがみそね》遺跡や佐賀県吉野ヶ里《よしのがり》遺跡のようなネットワークの頂点に君臨する巨大集落があり、「弥生都市」と呼ばれている。また、青森県三内丸山《さんないまるやま》遺跡を、異論もあるけれど「縄文都市」と評価する見方もある。ところが、「古墳都市」とはあまり聞かない（奈良県三輪《みわ》山麓に広がる纏向《まきむく》遺跡を都市に当てる見解もある）。昔から文明を論じるときには、王墓と都市がセットとして捉えられてきた。古墳時代のようなケースは日本だけの例外と見なされがちだが、はたしてそれは正しいのだろうか？　私は「王墓＝権力の象徴」説の

図6　大阪、仁徳天皇陵古墳（上空南から）
全長500メートルを超える日本最大の前方後円墳。水をたたえた濠が三重にめぐらされ、面積は約47万平方メートルに達する（堺市提供）

前提となった、史的唯物論《してきゆいぶつろん》に基づいた権力の形成についての学説を批判し、私たちが陥りがちな「都市革命の呪い」をあぶり出す。それを打ち破るための新たな歴史の枠組みとして、比較文明論と考古学の出会いから生まれた比較考古学の成り立ちについて振り返る。

③王墓の規模は、なぜ断続的に大型化したり縮小したりするのか？

大阪府仁徳天皇陵古墳は、一個人の墓としては不釣り合いな全長500メートル以上の前方後円墳である（図6）。ここで注目すべきは、こうした巨大な前方後円墳は小さなものが徐々に発展して巨大化したのではない。最古の前方後円墳である奈良県箸墓《はしはか》古墳でさえ全長約280メートルを誇る。系譜を同じくする古墳群でも、古墳の墳形や規模は一貫せず、途中で変わったり、突然断絶したりするケースも普通に見られる。そのような現象を、単純に権力者の栄枯《えいこ》盛衰《せいすい》を示すとか、王権中枢から規制を受けた結果と見なすのは危険であると思う。王墓の規模が右肩上がりではなく、ジグザグに推移するのはなぜだろうか？　王墓の存在意義が権力の誇示ではなく別の理由ならば、はたしてこの現象を説明できるだろうか？

④王墓にはなぜ高価な品々が副葬されたのか？

規模だけでなく、巨大古墳の場合は、副葬品の質・量ともに庶民の墓を凌駕する。当時の社会では、王の埋葬に貴重な品（図7）を捧げるのは自明の理だと考えられていた。しかも、古墳には鉄製甲冑《かっちゅう》や多量の鉄鏃《てつぞく》（鉄製のやじり）や鉄製武器のような、実社会で十分に役立つと思われるものも、惜しげもなく副葬されている。多量の武器や武具を未使用のまま副葬することは、敵から攻撃され、侵略されるリスクを高めたに違いない。貴重な品々は、なぜ王墓の中に副葬されねばならなかったのか？　「貴重」

図7　群馬、国宝・綿貫《わたぬき》観音山古墳出土品
国内外からもたらされた貴重な品々が、王の遺骸と共に墓に埋められた
（群馬県立歴史博物館提供）

という付加価値がどういうメカニズムで発生し、それを王墓に副葬することにはどのような意味があったのかについて考察する。

⑤王墓はなぜ時代・地域を超えて築かれたのか？

王の墓を造り続けることは、人々を疲弊させ王に対して反感を抱かせかねない、きわめてコストもリスクも大きな事業である。しかも、王墓は時代や地域を超えて世界各地に誕生し、それは国づくりのために政治組織が再編され、社会が流動化していた時期に集中する。もし、「王墓＝権力の象徴」説が成立するならば、権力者はあえて危険な時期に高コストで高リスクな造墓事業に乗り出したことになる。これはかなり不自然だ。そうではなく、時代の転換期に付きものの社会不安が顕在化した時、人々の要請に応えて王墓が誕生したのでは、という仮説を提唱する。その一方で、王墓を採用しなかった社会についても言及したい。

⑥王墓はなぜ衰退したのか？

ひとたび王墓が誕生すると、いくつかの社会では、死せる王を祀る葬祭殿などさまざまな施設と複合して、埋葬施設が巨大化する。だが、その時期は長くは続かない。王のための巨大モニュメントはほどなくして衰退し、来世での利益を願う装飾墓が登場、生身の人間や動物が捧げられていた供犠《くぎ》は土製や木製の造形品に置き換わる。要するに、葬送儀礼が形式化し、王墓は形骸化して衰退していった。なぜ、頂点を極めると、王墓は急速に存在意義を失い衰退するのか？　この問いについて、王と造墓を支えた人民との関係の変化と、王の神格化にまつわる観点から考察する。

⑦王墓が解体すると、なぜ国家は成熟するのか？

古墳がそうであるように、国家体制が整備されると王墓造りは終わる。仏教のような世界宗教が伝来し記紀が編纂《へんさん》されて律令国家が確立するのと同時に、王墓は歴史の舞台から姿を消す。その理由は、古墳から寺院へ権威の象徴が移ったためと説明されている。しかし、王墓が衰退すると国家組織が成熟する現象は日本だけに止《とど》まらない。なぜ人々は、何世紀にもわたり続けてきた造墓活動を捨て去ったのだろうか？　王墓が国家と両立しない理由を、墓をめぐる人々の時間観念の変質から説明する。

⑧王墓が人類史にもたらしたものは何か？

膨大なコストを費やして何世紀も王墓を造り続けた時代は、人類史にとって壮大な無駄遣いのように見られがちである。しかし、はたしてそうだろうか？　否、社会の要請から誕生した王墓は、その後の歴史に受け継がれる偉大な価値を私たちにもたらして、歴史の闇へ消え去ったと私は考える。王墓が人類の歴史にもたらしたギフトとは何かについて考察し、定説を問い直す本書のまとめに代えたい。

本書では、以上のような王墓にまつわる謎について検討し、冒頭の「王墓はなぜ築かれたのか？」という根源的な問いに挑戦したい。幸いにも日本には、世界的にみても固有の王墓の文化と言える古墳文化があり、綿密な研究も積み重ねられている。ここからは、適宜、日本考古学の成果に立ち返りつつ、王墓に込められた人類の謎に順次回答を試みる。それでは、まず議論の出発点を明確にするため、王墓とは何か、王とは何者か？　を定義することから始めよう。

第２章　王墓は誰の墓なのか？

王墓を抽出する難しさ

まず、王墓とはどんな墓かが分からなければ出発点に立てないだろう。しかし、これは簡単なようで思いのほか難しい問題だ。王墓とは、文字通り王の墓である。ところが、考古学では、墓の主が「王」であるかどうか、墓誌や墓碑などの文字資料が伴わなければ決定できない。仮に副葬品や墓室の壁に名前が遺されていたとしても、その王と同時期に編纂された史書のようなものがないと断定できない。古墳からも、人名を象嵌《ぞうがん》した刀剣が出土したりするが、どんな人物なのかは史書に名前が登場しない限り想像の域を出ない。しかも、文字と史書の両方を兼ね備えている地域はそう多くない。エジプトのファラオや中国の皇帝のように、悠久の歴史を誇る文明の王なら問題なさそうだが、それでも文字資料には後代の伝説も一緒にまとめられていたりする。したがって、「○○王墓」とされていても、それが正しいかどうかは慎重な検討が必要だ。日本の天皇陵がその良い例で、継体《けいたい》天皇陵のように、宮内庁の公式見解と考古学者の学説とが真っ向から対立する場合もある。したがって、この点にあまりこだわり過ぎると先に進めない。そこで、被葬者に「王」の称号が与えられていたか否かはひとまず問わないことにする。本書で扱う王墓の被葬者には、考古学者から「王」、「大王」、「皇帝」、「貴族」、「首長」、「エリート」と呼ばれたものが含まれていると思われる。したがって、多少のあいまいさが残るにしても、遺骸の埋葬に不可欠な機能以上の施設をそなえた墓を「王墓」とひとくくりにして、考察の対象とする方が生産的だと考える。多少、感覚的な捉え方になるかもしれないが、同時代の埋葬の中で頂点あるいは最上層を占める墓といった程度の理解にとどめておきたい。

なお、本書では「王墓」と並んで「特定個人墓」という用語も併用している。盗掘で考古学・歴史学的な証拠が乏しい墓を「王墓」と断定した時に、「いや、王ではなく貴族だ」という結論の出ない論争を引き起こしかねないからだ。「特定個人墓」についても、一般の人々とは差別化されたらしき墓という程度である。いずれにせよ厳密な用語ではないことをお断りしておく。

王墓を構成する要素

一方、「墓」の方は考古学の独壇場である。手始めに世界各地の「王墓」の候補となる埋葬遺跡の構成要素をまとめたのが図8である。まず、構成要素について見てみよう。地上構造物とは読んで字のごとくで、石や土を積んだマウンド（塚）と、住居や神殿などの建物を持つものに大別される。建物の材料には木や石、レンガなどがある。墓にとって最も重要なのが、次の遺骸をおさめた墓室である。その構造には竪穴式《たてあなしき》、横穴式のほか、崖にトンネルを掘り込んだ形式のものがある。これらは岩窟墓《がんくつぼ》や洞室墓《どうしつぼ》と呼ばれている。周辺施設には石や溝で区画されたもの、墓の周囲に壁を巡らせたものが含まれるが、被葬者を祀る廟や葬祭殿と一体化した複合体もある。複合体とはコンプレックス（complex）の訳で、現在の建築用語で言えば複合施設に当たる。しかし、「複合施設」では死者のためのものとイメージしづらいので、あまりこなれていない用語だが「複合体」とする。殉葬・犠牲とは、王の側近や敵の捕虜などを王の死に際して伴わせたものだ。また、被葬者である王の名前を記録した墓碑・墓誌が伴う場合もある。この表をざっと見ただけでも、「これさえあれば王墓」と決定できる必要条件は無いことが分かる。ただし、以上では説明が足りないだろうから、実際に世界各地の王墓に即して詳細な内容を見ていくことにしよう。

図8　王墓の構成要素　世界各地で築かれた王墓の構成要素をまとめた一覧表。王墓に必須の要素はないことが分かる

地域	代表遺跡（地域）	型式	地上構造物					墓室構造			周辺施設			複合体	犠牲		墓碑
			土塚	石造	煉瓦	住居	神殿	竪穴	洞室	横穴	護石	溝	周壁		室内	周囲	
エジプト	サッカラ	マスタバ					●	●	●				●		●	●	
	アビュドス	マスタバ			●			●	●				●		●	●	●
	サッカラ	階段ピラミッド		●				●	●				●	●			●
	ギザ	真正ピラミッド		●						●			●	●			●
	テーベ	岩窟祭殿墓								●				分離			●
	タニス	構築墓				●		●						分離			●
ヌビア	メロエ	ピラミッド墓		●						●			●	分離			●
メソポタミア	キシュY墓地	煉瓦墓						●									
	ウル王墓789号	煉瓦墓							●						●	●	
	ウル王墓779号	煉瓦墓							●						●	●	
	ウル王墓1054号	煉瓦墓						●							●	●	
	ウル第Ⅲ王朝廟	煉瓦造廟					●			●				●	●		
ペルシャ	パサルガダエ	構築墓		石棺								●				●	●
	ナクシュ・イ・ルスタム	岩窟祭殿墓								●				分離		●	●
	パルティア	土壙墓						●									
エーゲ	ザフェル・パプーラ	洞室墓						●									
	ミケーネ	竪穴墓		●				●			●						●
	ミケーネ	トロス		●						●			●	分離			
ギリシャ	アテネ	墳丘墓	●				●	●									●
	アテネ	構築墓						●				●					●
	マケドニア	王墓	●							●							●

地域	代表遺跡（地域）	型式	地上構造物 土塚	地上構造物 石造	地上構造物 煉瓦	地上構造物 住居	地上構造物 神殿	墓室構造 竪穴	墓室構造 洞室	墓室構造 横穴	周辺施設 護石	周辺施設 溝	周辺施設 周壁	複合体	犠牲 室内	犠牲 周囲	墓碑
地中海	フェニキア	竪穴墓						●									
		横穴墓								●							
	キプロス	構築墓															
北アフリカ	メドラセン	構築墓		●					●					●	●		●
エトルリア	チェルベッテリ	古墳	●							●							
ローマ	アウグストゥス帝廟	廟	●				●			●			●				
ヨーロッパ先史	ニューグレンジ	円形墳	●														
ケルト	ラインハイム	墳丘墓	●					●				●					
北ヨーロッパ	サットン・フー	船葬墓						●									
	オステブルグ	墳丘墓	●					●									
ブルガリア	ヴァルナ	土壙墓	●					●									
	トラキア	墳丘墓	●					●		●							
スキタイ	コストロムスカヤ	クルガン	●					●							●		
	エリザベティンスカヤ	クルガン	●							●					●		
中央ユーラシア	アルジャン	ヘルクスル						●							●		
	パズィリク	積石塚						●							●		
	ティリヤ・テペ	竪穴墓						●							●		
	ノイン・ウラ	地下式墓							●								
トルコ	アラジャ・ホユック	竪穴墓			●			●									
	ミダス王墓	墳丘墓	●							●							
	ネムルト・ダー	墳丘墓	●														●
ペルシャ湾岸	バーレーン／アアリ	古墳	●					●									
	アブ・ダビ／アル=アイン	蜂の巣状墓地								●							

インド	インダス	土壙墓							●									
	アリカメドゥ	巨石墓		●					●									
	良渚	土墩墓		●					●									
中国	殷	大墓					婦好墓のみ			●						●	●	
	始皇帝	帝王陵		●						●				●	●	●	●	
	漢	帝王陵		●						●						●	●	
極東	三国時代	古墳		●	●				●		●							
	日本	古墳		●					●		●							
中央アフリカ	イボ・ウクウ	土壙墓							●									
マヤ	エル・オペーニョ	洞室墓								●								
	ティカル	神殿塚						●			●				●	●		
	パレンケ	神殿塚						●			●				●	●		●
アンデス	クントゥル・ワシ	土壙墓							●									
	シパン	神殿塚		●					●						●	●	●	
東南アジア	タイ／バンチェン	土壙墓							●									
	インドネシア／パセマ	石室墓									●							

隔絶した地上構造物

まず注目されるのが地上構造物の巨大さである。エジプトのピラミッド、中国の山陵(図9)、遊牧騎馬《ゆうぼくきば》民族の積石塚など、使用された素材は異なるが、平民の墓とは明確に差別化された墓のしるしがある。また、はじめは無かったけれど、時代を経て地上構造物が付け加えられたケースもある。たとえば、中国では、戦国時代中期以降に墳丘の築造が一般化し、秦始皇帝陵は、東西485メートル、南北515メートル、高さ115メートルの規模にまで巨大化した。都出比呂志の計算では、盛土全体の体積は1000万立方メートルに達し、仁徳天皇陵古墳の6倍以上にもなる世界最大の山陵だという。ところで、王墓に建物を採用した例が多いのはメソアメリカである。メキシコのパレンケでは地上に築かれたパカル王墓を覆うようにピラミッドが築かれ、頂上に「碑文の神殿」が建てられた。王墓へは、神殿の床からアクセスする構造だ。新大陸には建物地下に遺骸を埋葬する風習が古くからある。その延長線上に成立したのが、ピラミッドの頂上に神殿を建てたメソアメリカの王墓だと考えられる。

図9　中国、秦始皇帝陵遠景
奥に見える高い山が、盛土で築かれた世界最大の山陵である

図10　中国、侯家荘1001号大墓
殷時代の王墓。地下深くに巨大な墓室が造営されたが、地上には墓と示すものは何も築かれていない（梁思永・高去尋『侯家荘1001號大墓』、1962年より）

巨大で複雑な埋葬施設

王墓に限らず、埋葬に墓室は不可欠である。しかし、王墓の場合は規模・内容とも一個人には不釣り合いなほど大規模で複雑なものとなる。中国の河南省安陽の侯家荘《こうかそう》１００１号大墓は、初期の王朝である殷の王墓とされ、地下深くに巨大な墓室が造営されている（図10）。しかし、地上には墓であることを示すしるしはない。メソポタミアも地上構造物を持たない王墓の文明である。地下を掘り込んでレンガ造りの墓室が築かれ、王の遺骸と共に数多くの副葬品が納められた。大英博物館の至宝であるウルのスタンダードが出土した、ウル王墓779号もその一つである。

埋葬施設は、竪穴式と横穴式で設計されたものの2種類に大きく分けられる。日本の古墳で言うところの竪穴式石槨《せっかく》と横穴式石室の違いに対応する。エジプトや中国も日本同様に竪穴式から横穴式へと移り変わるので、大きく見ればそのような地域が多い傾向は確かにある。しかし、メソポタミアのように、どちらが先か考古学者によって見解が分かれる場所もある。また、異民族の侵入や征服などのために、時代による埋葬方式の変遷をたどれない地域も少なくない。

なお、日本の古墳からはなかなか想像できないけれども、「空墓《からばか》」の問題にも触れておこう。とくに、エジプトの古王国以降の王墓とされる中には、実際には遺骸を葬らない記念碑的な墓がある。事実、一人のファラオが複数のピラミッドを建造した例があり、ファラオが眠っているのはそのうちの一基かもしれないし、あるいは次々に別の墓へ移された可能性も捨てきれない。日本でも推古《すいこ》天皇が、大阪府の磯長谷《しながだに》に陵墓が築造される前、奈良県植山《うえやま》古墳の竹田皇子《たけだのみこ》の墓にいったん埋葬された例があるから、他の地域の王墓でも無かったとは言い切れない。なお、ピラミッドについてはファラオの墓とするのが定説であるが、激しい盗掘にあって遺骸が確認されていないため、一種の空墓とみる説もある。

葬送複合体

地上構造物と埋葬施設に加えて、葬送儀礼を行うための付属施設が一体化した王墓もある。これを本書では葬送複合体と呼んでいる。たとえばピラミッドでは、ピラミッド本体とナイル河に面した河谷神殿《かこくしんでん》が参道（通廊）で結ばれ、スフィンクスもその一部だった可能性が考えられている。また、中米のユカタン半島を中心として繁栄したマヤでは、神殿ピラミッドの地下あるいは内部に王墓を内蔵した例が知られている。エジプトのピラミッドを水平に展開した葬送複合体と見なせば、マヤの事例は垂直に展開したものと考えて無理はない。一方、葬送複合体は目で見える地上の施設だけに止まらない。1974年、陝西省《せんせいしょう》の秦始皇帝陵の近くで井戸を掘っていた農民が、素焼きの兵士像を発見した。その後の発掘調査によって、周囲からおびただしい数の武《ぶ》人俑《じんよう》・銅製馬具を装着した陶馬《とうば》・戦車が出土した。世界的に知られ、展覧会でもおなじみの秦始皇帝の兵馬俑坑《へいばようこう》である。読者の中には現地を訪れた方も多いのではないか。これは、始皇帝が死後も生活し、政治を続けるための地下宮殿を守護した軍団と考えられている。これらのように、王の埋葬場所の周囲にさまざまな施設が作られ、最終的に最大化、複雑化した王墓の頂点が葬送複合体なのだ。

装飾された棺と墓室

王墓は「見せる埋葬」なので、地上構造物や葬送複合体など外見に力が注がれるのは当然である。ところが、埋められると見えなくなるはずの王の埋葬空間、すなわち墓室や棺も飾られたケースが多々ある。しかも、これはユーラシアの東西でそれぞれ特徴的な発展を遂げている。少し詳しく説明しよう。

まず、西からである。紀元前4世紀、齢《よわい》30にしてギリシャからインド北部にいたる大帝国を築いた戦いの天才アレクサンドロス大王の出身地が、ギリシャの北にあるマケドニアであることは教科書にも書かれている。ところが、マケドニアがヨーロッパの中でも古墳文化（図11）、とりわけ装飾墓が発達した地域の一つであることはほとんど知られていない。事実、大王の父、フィリッポス2世の墓も彩色絵画とレリーフで飾られていた。今日、マケドニアの装飾墓が重要な理由は、現在では戦乱や風化のため神殿から失われたギリシャ壁画の面影を今に伝え、ローマ壁画との間をつなぐヘレ

図11　マケドニア古墳近景
マケドニアには巨大古墳が点在し、装飾墓も築かれた。エトルリアと並ぶヨーロッパの古墳文化の中心地である

ニズム期の絵画作品として貴重だからだ。アレクサンドロス大王にちなむと、イスタンブール考古学博物館には「アレクサンドロスの石棺」と呼ばれる至宝がある。これは、地中海交易で活躍したフェニキア人の都市、レバノンのシドンから出土したもので、マケドニアとペルシャの戦いや獅子狩りの場面が浮き彫りされており、それぞれに勇壮な大王の姿が登場する。大王の遺骸をおさめたものではないが、まさに装飾棺の白眉である。パレスチナからアナトリア半島南部にかけての地中海東端の沿岸地帯や、ミノア文明が繁栄したクレタ島などにも彩色された装飾棺が出土する（図12）。アレクサンドロス大王自身の王墓は見つかっていないが、もしかしたら装飾墓

図12　彩色された陶棺の上端部分
蓋で見えなくなる部分に精巧な図文が描かれていた。納棺された被葬者を飾る意識がうかがえる
（トルコ、イズミル考古学博物館）

図13　契丹の豪華な彩色木棺
金箔の鳳凰や牡丹唐草をあしらった木棺で、正面の扉に描かれた門番によって警護されている
（九州国立博物館編『草原の王朝　契丹　美しき3人のプリンセス』、2011年より）

と装飾棺を具えていたのではないかと想像するのも楽しい。

その一方で、東アジアで独特の装飾墓が流行した地域に高句麗《こうくり》がある。中国東北部から朝鮮半島北部を支配した騎馬民族が建国した古代国家として有名だ。高句麗壁画古墳は2004年に世界遺産に登録され、中国絵画の伝統を受け継ぎながらも独自の彩色壁画の様式を具えていた。また、同じく騎馬民族国家である契丹《きったん》（遼）にも装飾墓や装飾棺が広く普及した。そのうち日本でもよく知られた稀代の傑作が、内蒙古のトルキ山古墓から出土した彩色図文と金属製装飾が施された、10世紀前半の組合式《くみあわせしき》木棺である（図13）。これは、「草原の王朝　契丹　美しき3人のプリンセス」と題した特別展で、福岡、静岡、大阪、東京と巡回したから、印象に残っている方も多いだろう。

装飾された墓室と棺が、長期の絵画伝統を有するエジプトや中国で見られるのは当然だが、ここで挙げた例は文明の中心ではなく周辺地域で、独自かつ固有の伝統として定着した点が興味深い。その背景には、騎馬民族を介した文化交流によって墓室を華やかに飾り立てる死生観が共有されたことがあるのかもしれない。

殉葬と犠牲

殉葬や犠牲も、伝統的に王墓の構成要素とされてきた。ただし、王墓の発掘現場で検出された人骨が、合葬《がっそう》されたものなのか殉葬や犠牲によるものなのかはすこぶる判断が難しい。しかし、頭部のみの埋葬例や解剖学的にバラバラとなった人骨、狭小な場所に押し込まれた不自然な姿勢の遺骸ならば、殉葬もしくは犠牲と見て差し支えな

図14　ウルの王墓における殉葬儀礼の復元
奥に見えるドーム形墓室に王の棺が納められた。その手前に兵士や戦車、楽師や動物などの殉葬者・犠牲獣が整列した
（L. ウーリー・P. R. S. モーレー著、森岡妙子訳『カルデア人のウル』、1986年より）

いだろう。よく知られているメソアメリカやアンデスの生贄の風習も犠牲の一種である。

　発掘調査で明らかになった最も有名な殉葬例は、メソポタミアの古代都市・ウルで見つかったものだ。考古学者、レナード・ウーリーが復元した殉葬儀礼では、次のような手順が推定されている（図14）。

　オープンカットの墓坑内に築かれた煉瓦造の墓室へ王の棺が安置されると、人々や動物たちはスロープを下って地下に整列した。兵士・楽師たちは自らの道具を携えていた。彼らは毒薬が入った陶製の小さな盃を手にしていた。儀式が最高潮に達すると、めいめいが盃をあおり、やがて静かに崩れ落ちた。そして、あらゆる儀式が終了すると上から土で埋め立てられ、彼らは王と死出の旅路を共にした。

L・ウーリー著、瀬田貞二・大塚勇三訳『ウル』より再構成

強大な権力者であった王が死後も身の回りの世話をさせるため従者を道連れにしたというのは、「王墓＝権力の象徴」説にとって都合の良い解釈のように思われる。もしこの論理が正しいならば、王の権力が強大化するのと比例して殉葬者・犠牲者の数も増加したはずである。ところが、実態はそうではないようだ。

エジプトでは、王朝成立以前から殉葬や犠牲が見られるが、第1王朝になって王墓で殉葬の風習が定型化した。巨大な竪坑《たてこう》内に木製の墓室が組まれ、王が埋葬された。周囲には小型墓室がめぐり、そのいくつかからは人骨が納められた棺が確認されている。おそらく王権を構成した高官や侍従の殉葬墓だと推定される。しかし、階段ピラミッドが登場する第3王朝になると、埋葬儀礼は人身供犠を必要としないものに変質した。

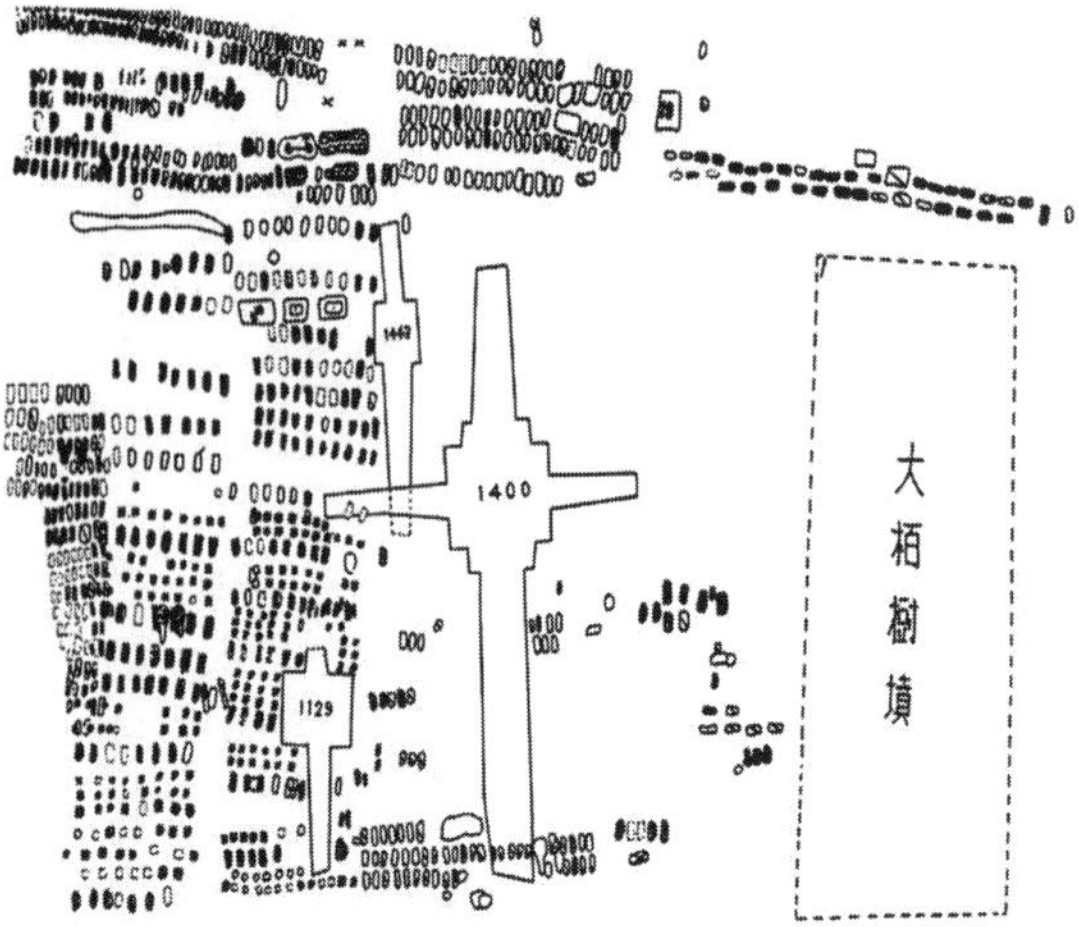

図15　中国、西北岡墓地の殉葬・犠牲坑
殷の王墓や貴族墓に伴って、殉葬者や犠牲者をおさめた多量の墓が計画的に配置されている
（鄒衡著、北京大学考古学研究室編、宇都木章ほか訳『商周考古学概説』、1989年より）

中国でも、新石器時代の男女の合葬などが殉葬の起源と考えられている。最初の王朝である夏《か》の時代に築かれた河南省偃師《えんし》二《に》里《り》頭《とう》の廟には、動物犠牲と共に50～60体の人間の犠牲が伴っている。それに続く殷（商《しょう》）時代の前期に営まれた河南省鄭州《ていしゅう》商城《しょうじょう》では、100体あまりの頭蓋骨が濠内に投げ捨てられていた。いずれにせよ凄惨な儀礼であることに変わりはない。世界的に知られた殷の王陵に伴う殉葬坑では、3000体以上が確認されている（図15）。多量の人身供犠は、殷王が祖先を祀るための

ものと考えられている。しかし、時代が経つに従って殉葬や犠牲は減少し、西周《せいしゅう》以降は消滅こそしないが、殷と比べると激減する。秦始皇帝陵でも殉葬者は確認されているが、兵馬俑坑が象徴するように多くは仮器による造形品に置き換わっている。

エジプトでも中国でも、殉葬・犠牲は王墓の誕生に伴い、大規模な葬送複合体の成立とともに衰退している。「王墓＝権力の象徴」説では、王の権力が伸張すると、なぜ殉葬・犠牲の数が減少するのか説明できない。王墓の構成要素の一つである殉葬・犠牲も、定説を支持するように見えて、実は強力なアンチテーゼとなる。このパラドックスも、以前から気づかれてはいたが十分な説明は与えられてこなかった。

再び王とは何者かを問い直す

ここまで、最大公約数的な王墓の構成要素として、①隔絶した地上構造物、②巨大で複雑な埋葬施設、③葬送複合体、④装飾された棺と墓室、⑤殉葬と犠牲を列挙した。そして、その中には、王墓が王の権力誇示のために築かれたという定説では説明できない現象が見られることも指摘した。それを踏まえた上で、ここまで回答することを避けてきた問題と向き合ってみよう。いったい、王墓に眠る王とは、どのような人物だったのか？

繰り返し述べてきたように、「王」や「王様」と聞くと、私たちは自らの意のままに強権的に人民を支配した人物像をイメージしがちだ。しかし、王墓に社会のエネルギーが最も捧げられたのは、王墓が最大化した時期ではなく、むしろ王朝の成立と共に王墓が誕生した時、いわば王墓の黎明期にあたる。王による支配が確立し、国家体制が整備されると王墓は簡素化し、やがて消滅する。つまり、王が専制君主に近づけば近づくほど、王墓は衰退することを考古学は物語る。まさに一種のパラドックスだ。文字通り王墓の謎である。こう断言しても良いかもしれない。「専制君主の誕生と王墓の誕生にはあまり関係がない」と。もちろん、王権が成立する以前と以後で、埋葬法に違いがあることに注目することにまで意味がないと主張しているわけではない。問題の核心は、考古資料を権力論の色眼鏡でしか見てこなかったことにある。

今や、私たちは、王や王権の発生と社会との関係について真正面から向き合うことになった。この問題は、主語を王とするか王を支えた人々とするか、どちらの立場をとるかによって回答が異なるため、これまでさまざまな学説が唱えられてきた。多少粗っぽい整理となることは承知の上で、私は王や王権がどのようなきっかけで誕生したのかについて、以下の三つのケースにまとめたいと思う。第1は、社会の生産力が上昇する中、社会の組織や制度などのさまざまな矛盾を調停する人物が成長したケース。第2は、社会的な生産関係、すなわち財の再分配や交易ネットワークを代表する統括者の下に権力が集結したケース。第3は、資源の獲得であれ交通ルートの確保であれ、他の社会集団と戦争状態に陥った時に、指揮者として誕生したケースである。

このように「王墓はなぜ築かれたのか」という問いかけが、王とはどのような人物だったのか、社会を代表する特定個人＝王はいかなる経緯で登場したのかといった問題に置き換わると、考古学だけに固執していては回答できないことが分かる。しかし、今まで私たちは、王墓に埋葬された王とは何者かという問いを完全に見落としていた。こう顧みたとき、王をすべからく専制君主と見なしてきた先入観にメスを入れなければならないことに気づく。王墓の時代をめぐる歴史観自体を俎上《そじょう》に載せなければならないのだ。

第３章　王墓は都市文明の副産物なのか？

出発点としての史的唯物論

王の誕生の経緯については、国内外でさまざまな学説が提唱されてきた。第2章の最後で提示した三つのケースを見ながら、19世紀からの歴史叙述の中で王の誕生がどのように扱われてきたかについて、振り返ってみることにしたい。その出発点は、『資本論』を著したK．マルクスに始まる史的唯物論（唯物史観）である。

考古学で歴史叙述を行う時、史的唯物論は避けて通れない。史的唯物論とは、単刀直入に言えば、人類の歴史は生産力と生産関係によって規定され、アジア的、古代的、封建的、近代ブルジョワ的という各生産様式を経過する世界史の基本法則に従うという歴史の捉え方である。マルクス主義歴史学とも呼ばれるこの歴史観によれば、歴史は後戻りせず特定の目的に向かって進んでいくと考えられた。このうち、はじめて王墓が登場するのが、マルクスがアジア的生産様式と呼ぶ段階だ。それは、専制君主が共同体から余剰を搾取《さくしゅ》し、人類にはじめて階級が生まれた時代を指している。専制君主は最大の土地所有者であり、共同体の外に対しては交換・交通を代表するとともに、共同体の内部では支配の正統性が保証された公権力そのものと見なされた。したがって、当然ながら当時の社会構造も専制君主を頂点とし、貴族から庶民に至るまで政治的な従属関係が貫徹していた。だからこそ、王墓を築造した人物は人々を強制的に徴発し過酷な労働に従事させることができたはずだ。トップがそうなら、専制君主の政治的支配下にあった王族や貴族たちがこの体制を模倣するのもやむを得ない。すなわち、王墓とは、社会に貫徹する政治的な支配、被支配の関係を基礎として、一握りの権力者層の間で共有されたものとするのが史的唯物論の捉え方だった。そこには、「王墓＝権力の象徴」説に疑義をさしはさむ余地などみじんも無かった。

ところが、時代と共に研究が深化・多様化し、世界各地からさまざまな調査成果が明らかになると、史的唯物論では説明できない事例も増えてきた。しかし、黙して語らぬ考古資料に歴史を語らせるためには何らかの導きの糸が必要である。そこで、考古学者たちは史的唯物論以外の説明原理によって、王とは何かを追究し始めた。

灌漑農耕が生み出した王（灌漑説）

まず注目されたのが、農耕に欠かせない灌漑《かんがい》事業である。社会の生産力が上昇する中、社会の組織や制度などのさまざまな矛盾を調停する人物が王に成長したとする第

1のケースに該当する。この説の先駆者は、経済史家のK・A・ウィットフォーゲルだった。彼は灌漑や治水のために、共同体成員の労働力を効果的かつ集中的に投下する共同作業（協業）が必要になり、それを調整し計画的に推進する指導者が誕生したと考えた。指導者は成長して政治的な最高権力者へと姿を変え、行政機能を管理・掌握した。これを王の起源とする。

そして、このような社会を、彼は「東洋的専制主義」に基づいた「水力社会」と呼んだ。こうして生まれた協業が土台になって、巨大な王墓の築造に労働力が投下されたという説は理解されやすく、灌漑説は広く支持を集めた。アメリカの人類学者であったJ・H・スチュワードもその一人で、協業の指導者は軍事権力も具えて中央集権的な性格を強めた結果、最高権力者に成長したと主張した。スチュワードは、近隣社会と土地や生産物をめぐって争いを繰り返した結果、勝ち上がった指導者が領域支配を進めて王になったという立場で、後述する戦争説も一部に取り込んでいる。

たしかに肥沃で広大な沖積地はアジアのイメージとも合致するけれど、灌漑が行われたのは何もアジアに限らない。さらに、集権的な政治体制の確立も、必ずしも大規模な灌漑を前提としないことが次第に明らかになってきた。何よりも東洋的専制主義はマルクスのアジア的生産様式を土台にしていたから、灌漑説は史的唯物論への疑念を晴らすものではなかった。

都市革命の呪い（長距離交易説）

次に注目されたのは、長距離交易である。これは、財の再分配や交易ネットワークを代表するような統括者の下に権力が集結し、王になったとする第2のケースに該当する。この説の強力な推進者が考古学の権威であった、V・G・チャイルドである。チャイルドは文明の起源に伝播《でんぱ》論を強調する立場だったが、史的唯物論を信奉する筋金入りのマルクス主義者でもあった。農村の中から都市が生まれるためには、生産力と生産関係を革新する革命が必要だと主唱し、それを彼は「都市革命」と呼んだ。都市革命を定義する10の指標として挙げられたのは、①大規模集住、②分業の進展＝専門工人、③神官、④記念建造物、⑤支配者階級、⑥記録と書記、⑦暦の発達、⑧芸術家、⑨対外遠距離交易、⑩社会結合の保証である。そのうち⑨対外遠距離交易に注目すると、たとえば、沖積地で鉱物資源に乏しいメソポタミアに、2000キロ以上も離れたアフガニスタンのバダフシャンで産出する貴石であるラピスラズリ（図16）が運ばれていた。ただ、この学説はエジプト・メソポタミアなどの古代オリエントを念頭に構想されたため、該当する地域がそう多くはないことは容易に予測できた。しかし、チャイルドの影響力は大きく、文明の成立条件には都市革命が不可欠だという歴史観は広く支持を集めた。日本考古学で都市を論じる場合にも、そのままでは適用できないにもかかわらず、このチャイルドの指標は自明のものとして、よく引き合いに出されている。

チャイルドによると、長距離交易で王が誕生するロジックは次の通りだ。都市革命

図16　ラピスラズリ製玉
アフガニスタン・バダフシャンからユーフラテス河流域まで、直線にして2000キロ以上の距離を運ばれた
（出典：ColBase）

を経験すると、社会的分業が発達し支配者階級の下に専門工人集団が生み出される。同時に、原料の需要が拡大するため交易が活発化し広域のネットワークが形成される。そうすると、製品を輸出するため、さらにいっそう遠隔地が開拓される。こうして経済領域が拡大すると、多様な共同体を包摂するため社会システムはますます発達して複雑になり、支配者階級の中から対外的な代表を立てて利害関係を調整しなければならない事態が発生する。こうして王が誕生した。王が権力を保持し、さまざまなアイデアを伝播・受容する環境が整うようになると、文明はさらに自己増殖していく。

ここで、改めてチャイルドの都市革命の10の指標の中には、記念建造物が含まれることに注意してほしい。その中には当然、葬送記念物である王墓も含まれる。そうすると、王墓の登場は都市革命が前提となり、文明には都市の存在が不可欠だ。すなわち、チャイルドの学説に立つ限り、文明には王墓と都市が共に存在しなければならない。しかし、彼の都市革命説は古代オリエントを念頭に立論されたから、この説が当てはまる地域は極めて限られていた。後々まで考古学者を悩ませたこのテーゼを、本書では「都市革命の呪い」と呼ぶことにしたい。

戦争から生まれた王（戦争説）

三つ目の要因として注目されたのは戦争だ。資源の獲得であれ交通ルートの確保であれ、他集団と争いになった時に、軍事指揮者として王が誕生したとする第3のケースである。この学説は、南アメリカをフィールドとした人類学者のR．L．カーネイロが主唱した。自然・経済・社会などさまざまな条件によって人口が増加すると、当然、生産力や資源量は逼迫《ひっぱく》する。そうすると武力抗争が勃発し国家形成へ向かう力が発動する。戦争が常態化する中で、臨時の軍事指導者はいつしか社会の代表者に転化する。それが王の誕生である。カーネイロにとって、王とは権力者以外の何者でもなかった。

武力闘争が王権成立のきっかけとする考え方は、マルクスの片腕であったエンゲルスがいち早く提唱している。ただし、単発的な闘争ではなく、継続的な戦争の蓄積が国家への質的転換を導いたとする点で、カーネイロはエンゲルスと一線を画していた。考古学で、王の誕生に戦争を持ち出すのは古くから魅惑的な学説だ。戦争→征服→階層化というプロセスを経て、社会が複雑化するベクトルは一見すると理解し易そうに見える。日本古代史で人気の騎馬民族征服王朝説もその典型である。しかし、分かり易いだけに歴史を過度に単純化しているのではないかという批判も、古くから少なくない。たとえ国家形成期に多くの戦争が付きものだったとしても、戦争や有事の時以外は軍事指導者がいったい何をしていたのか説明が難しいからだ。

大転換

近年、王の誕生は、単一の要因を重視するのではなく、多様な要因の複合作用とする、多元的な起源論が主流になっている。たとえば、イギリスの考古学者、C・レンフリューはチャイルドに従って長距離交易に重きを置きながらも、①人口と集落、②生業、③冶金《やきん》、④手工業生産、⑤社会システム、⑥象徴システム、⑦交易の相互作用をもっと評価すべしと説く。また、アフリカ、ヨーロッパ、アジア、アメリカ、オセアニアの時間・空間もさまざまな21地域を検討したH・J・M・クラッセンとP・スカールニックは、「初期国家」論を唱え、日本の古墳時代研究にも大きな影響を与えた。

ところが、王墓の成立要因を国家形成論の側から見ようとすると、どこからが国家なのかという最初の関門でつまずいて、そこから先へは進めないのが構造的な問題となっていた。たとえば、権力者が先か灌漑などの社会的要素が先かというような問題設定をすると、結局、鶏が先か卵が先かといった水掛け論に陥ることが避けられないからだ。仮に、戦争や灌漑農耕、長距離交易のために社会がまとまる必要があって権力者が誕生することが事実だったとしよう。しかし、権力者はより強大な権力を求めるから、さらに戦争や交易、農地開拓をしかける。そうすると、原因と結果がお互いに補完関係になってしまい、一種の循環論法に陥ってしまうことになる。このような袋小路に陥ってしまうのは、王を単純に強大な権力者と読み替えてきた歴史観自体に問題があるからだ。先述した「都市革命の呪い」もその一つであり、王墓は権力者が権力を誇示するために築いたという説明で思考停止してしまい、なぜ墓が社会的なエネルギーの投下先に選ばれたのかについて、万人を納得させる説明がないまま現在に至っている。

ところが、近年、考古学ではこのような見方に修正を迫る大きな発見が、農耕・牧畜が発生した「肥沃な三日月地帯」に近いトルコ南東部であった。チグリス・ユーフラテス河上流のハラン平原をのぞむ山上に営まれたギョベクリ・テペやカラハン・テペである（図17）。これらは、文明の起源が「都市」からではなく「神殿」から始まったことを実証する遺跡として、世界的に脚光を浴びている。黎明期の神殿建築の特徴

図17　トルコ、ギョベクリ・テペの神殿
円形プランで、人物・動物像を刻む柱が建てられた。今なお発掘が続けられ、日々人類史が書き換えられている

は、動物や人物のレリーフを刻んだ「T字形石柱（オベリスク）」や高浮彫《たかうきぼり》の人物・動物像である。半地下式の円形プランで中央に2本のT字形石柱が樹立され、内部に祭壇状の遺構はあっても権力者の存在を示す証拠は見当たらない。

従来の史的唯物論の解釈では、農耕・牧畜が始まって食糧の増産が可能となり、余剰が蓄積されてはじめて王が誕生し、その次に神権《しんけん》政治の拠点として神殿が誕生したと考えられてきた。しかし、これらの遺跡が営まれたのは今から7000年前に遡《さかのぼ》り、そんなに早く農耕・牧畜が行き渡り余剰が蓄積していたとは考えられない。むろん王がいた形跡もない。

また、ペルーのコトシュ遺跡で見つかった「手の神殿」も「都市革命の呪い」を打破する調査成果の一つである。東京大学の綿密かつ継続的なフィールド調査に基づき、旧大陸に先んじて提唱された「神殿更新論（まず神殿を築き、それを繰り返し拡張することによって社会が大規模化、複雑化するという学説）」は、モニュメントが登場する前提として人々が集住し、複雑な社会階層を統率する権力者の存在がなければならないとする従来のテーゼへの強力な異議申し立てとなっている。

いずれの事例も、チャイルドが主張した都市革命ではなく、宗教的な動機に基づいた集住の方が先だという見解を支持するものである。だとすれば、政治権力者よりも宗教祭司の方が先に現れて、王になったとする見解もまた成立する余地があるように思う。それが、「王墓＝権力の象徴」と一律に見なしてきた定説を見直すきっかけになることは改めて強調するまでもないだろう。

比較文明論と比較考古学

チャイルドの「都市革命の呪い」には、私たちが陥りがちなもう一つの罠が仕掛けられていた。それは、人間の歴史は後戻りせず特定の目的に向かって進むという歴史観だ。この考えに固執する限り、国家機構の整備が進むことと反比例するように王墓が衰退する現象の説明が困難になる。ところが、考古学者たちがオリエント地域で王墓発掘に熱中していた20世紀前半に、マルクス以来、史的唯物論では当然と考えられてきたこの直線的な歴史観を疑問視する歴史認識が、1914年にヨーロッパで勃発した第1次世界大戦を契機として登場した。しかも、皮肉なことに、それは戦禍にあえぎ敗戦からの復興に苦悩するマルクスの母国、ドイツから狼煙《のろし》が上がった。

1918年に第1巻が刊行された『西洋の没落』の中で、著者O・シュペングラーは、歴史とは、未開状態から政治組織・宗教・芸術等の発達、開花を経て退廃し、死滅する生命体のようなものと考えた。この観点から、エジプト、ギリシャ＝ローマから西洋にいたる8つの「文化」を取り上げて、それぞれの固有の独自性と、成長および老化の過程を考察し、西洋はこれから没落するだろうと予言した。彼の著書は大ベストセラーとなったが、ナチスによるホロコーストの根拠となった優生学と結びつくことで影響力を失ってしまう。だが、それまでの史的唯物論では、過去から未来まで一直線に進む国家単位の歴史認識であったのに対し、春夏秋冬のように循環する各文化が集まって構成されたとする、国家を超えたシュペングラーの歴史認識は斬新なものだった。これは他の歴史家にも大きな影響を与え、その一人がA．J．トインビーであった。

トインビーは、シュペングラーが「文化」と称したものを「文明」と定義し直した。トインビーは、旧大陸のエジプト・シュメールや、新大陸のマヤ・アンデスなど21の文明を取り上げ、文明の誕生から消滅までの間を、成長・挫折・解体という3段階に整理した（図18）。文明の成長とは、少数の創造的な指導者に率いられ、内外からの挑戦に対して創造的に応答し、停滞することなく発展する状態を指す。ところが、頂点に達すると指導者は従属を強制する支配者に性格を変え、創造力が枯渇する。階級対立や革命、対外闘争など内外の危機が高まり、やがて戦国時代が訪れる。この状態を文明の挫折と呼ぶ。創造性を失い硬直化した文明は、少数の支配者による軍事的征服によって終止符が打たれ、世界国家が出現する。ところが、世界国家が登場しても内外の危機が去ったわけではなく急速に文明は崩壊した。それが文明の解体だ。しかし、文明は固有の生命をもっているため、生き長らえるためのさまざまな試みを行った。たとえば、文明の創造力が枯れると、かつて成長段階にあった過去を模倣したり、すでに解体した先行文明の遺産を受け継いだりした。ただ、今もてはやされているビッ

【文明の段階】

- 誕生
  - 独自に創造
    - 先行文明なし
      - エジプト、シュメール、ミノア、インダス、殷、マヤ、アンデス
  - 交流によって成立
    - 野蛮から文明へ
      - ギリシャ、シリア、インドシナ、ヒッタイト、西洋、日本、ロシア
    - 先行する文明が解体し未開から文明へ
      - バビロニア、中国、イラン、ギリシャ正教、ヒンドゥ、アラビア、メキシコ、ユカタン
- 成長 ― 創造的なリーダーに統率され、人々の分断・対立がない
- 挫折 ― 全国的動乱
  - 支配的エリートが誕生
  - 領域の内外に被支配者層が発生
- 解体 ― 国内外で人々が分断・対立
  - 専制的な支配者による世界国家
  - 国内の被支配者層に普及する世界宗教
  - 国外の被支配者層を傭兵とした国際戦争
- 消滅
  - 未開への転落
  - 他の文明へ同化

図18　トインビーの比較文明論の大系
文明を比較したトインビーの構想。文明の変遷と世代関係を整理した

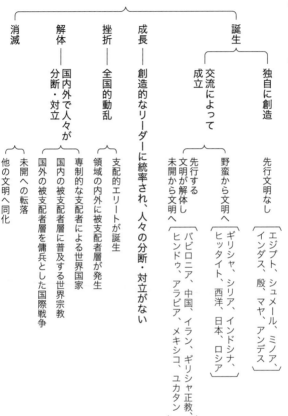

グ・ヒストリーのごとき包括的な彼の歴史認識は、インターネットもなかった当時、あまりに構えが大き過ぎたため、それを継承できた歴史家はごく少数にとどまった。

ところが、考古学者だけは違っていた。彼らが相手にするのは国家ではなく、死滅し解体した文明だったからだ。古代オリエントで王墓調査に勤しんだ考古学者たちは、歴史の巨人トインビーの体系を、人類学者と協力して自分たちのフィールド研究に取り入れることに挑戦した。たとえば、エジプトとメソポタミアを研究対象としたH・フランクフォートは、R．ベネディクトの文化の「型」の概念を導入し、両文明の構造と変動を理解しようとした。ベネディクトと言えば、『菊と刀』の中で日本人の「恥の文化」を指摘したことで有名だが、フランクフォートはそのような文化の型は古代文明にも適用できると考えていた。彼は、文明の誕生とは特徴的な考古資料の登場を意味し、文明間の伝播も考古学的に追えるはずだと主唱した。かくして比較文明論と考古学の出会いから比較考古学の枠組みが確立した。それは、史的唯物論とは異なった歴史観の土台となっただけでなく、考古学では回答の困難な問題にも「比較」の手法によって接近できるという新しい地平を拓くことになった。

呪縛からの解放へ

本章では王墓の考古学的検討から少し離れ、「王墓＝権力の象徴」説を生み出した歴史観の変遷を振り返った。マルクスの史的唯物論を出発点とし、王権の起源について特定の要因を原因とするさまざまな学説が今までに提起されてきたが、現在では、一種の循環論法に陥って身動きが取れなくなってしまっている。これは、「王墓＝権力の象徴」説を定説と見なし固執してきたことによる閉塞感が原因だ。また、余剰生産の蓄積が王や宗教施設を生み出したのではなく、宗教施設が集住の動機となるような考古学的な証拠が、トルコやペルーなどで見つかった。以上の整理から問題の所在がどこにあるか、もはや明らかだ。王墓の謎がこれまで解けなかったのは、「王墓＝権力の象徴」説と、王墓の誕生には都市文明の存在が不可欠だとする「都市革命」説に原因があったのだ。私たちは、それに代わる歴史認識として、20世紀初頭に誕生した比較文明論が考古学と出会って生まれた「比較考古学」をすでに知っている。これからは、第1章で提起された問題に、この新たな武器を手にして立ち向かうことにしたい。まずは、王墓はなぜ大型化したり縮小したりするのか？　という謎からである。

第４章

王墓の規模は、なぜ断続的に大型化したり縮小したりするのか？

神聖にして不可侵な王

ここで、唐突に話題が飛ぶことをお許しいただきたい。連日、新聞やテレビで取り上げられているように、近年のＡＩ（人工知能）の発達は目覚ましい。話題のChatGPTは言うまでもなく、生成ＡＩが描いた絵画作品がコンクールで入賞し、将棋の世界では人間を超えたと聞く。ＡＩ研究者で全脳アーキテクチャ・イニシアティブ（ＷＢＡＩ）の代表、山川宏氏が提唱する「知能爆発の法則」によると、２０２３年時点のＡＩは２歳程度のエンターテインメントＡＩの段階にあり、２０３５年には独りで起業できるビジネスＡＩに進化、２０４１年にはスーパーインテリジェンスを具え人間だと１２８歳の域に達するという。すなわち、あと20年経たずにＡＩは人間の知能を超える。すごい時代になったものである。

ただし、いくら進化しても、ＡＩが王墓を造る時代は訪れないと思う（独裁者が命じた場合を除く）。なぜならＡＩは人間と異なり、神のように不老不死だからだ。人類史が教えるところでは、人間は存在が否定されること＝死と引き換えに、生き続けていては入手できないさまざまなギフトを獲得するという。その一つが本章のキーワードである「神聖性」だ。分かりにくくて恐縮だが、神聖性とは道徳的に完全で侵すことのできない、世俗を超越した性質を指す。神聖性を身につけるのは人間であって神ではない。しかし、生きたままだとその人に対する道徳的な評価はコロコロ変わる。不可侵な存在となるための手っ取り早い方法は、死ぬことである。私たちは、過去から現代にいたるまで死後に神格化された偉人をいくらでも知っている。いったん神になってしまえば、世俗に引きずり下ろされることもない。おそらくＡＩには理解不能であろうこの方程式が最も多用されたのが、取りも直さず人類が王墓を築き続けた時代だったのではなかろうか？

王と死の関係性に最初に切り込んだのはＪ・フレイザーである。フレイザーはイギリスの人類学者で、宗教、儀礼、神話などを比較の方法で研究し、大著『金枝篇』を著した。その冒頭で語られる「森の王伝説」は、彼が最も重視したエピソードだ。

ローマの南東約25キロに位置するネミ湖（図19）は、月が湖面に反射して美しく輝き、「ディアナの鏡」と呼ばれた。そのほとりに、月と狩猟の女神であるディアナを祀る神殿と森がある。切り立った崖下には聖なるヤドリギが生えており、その金の枝は、誰

図19　イタリア、ネミ湖の遠景
フレイザーの『金枝篇』で世界中に知られた「森の王伝説」の故郷である。湖を望む場所に、女神ディアナの像が立つ

も折り取ってはならないと伝えられてきた。この聖なる森の守護者は「森の王」と呼ばれた祭司であり、彼は神と交流ができる唯一人の特別な存在だった。「森の王」となるためには二つの条件がある。一つはヤドリギの金枝を折り取ること、もう一つは現在の「森の王」を殺すことだった。

これが事実かどうか実証することはきわめて困難だが、類似した説話が最古の前方後円墳とされる奈良県箸墓古墳（図20）にも伝わっていることに注目したい。

三輪山《みわやま》の神である大物主神《おおものぬしのかみ》と結婚した倭迹《やまとと》迹日百襲姫命《とひももそひめのみこと》は、夫が夜にだけ現れ、朝になると姿を消すことを不審に思っていた。明るいうちに会いたいと懇願すると、明朝、櫛箱《くしばこ》の中に入っているが決して驚いてはいけないという禁忌を彼女に課す。翌朝、言われた通りに櫛箱を開けると、そこには一匹の小さな蛇がいた。彼女は驚いて禁忌を破る。すると蛇であった大物主神は人の形に戻り、怒って三輪山へと帰っていってしまった。残された彼女は、へたへたと座り込み、箸で急所を差して死亡する。この墓が箸墓と呼ばれるようになった所以《ゆえん》である。そしてこの墓は、昼は人が築き、夜は神が造った。つまり、今までに誰もなし得なかった前方後円墳という葬送記念物は、人

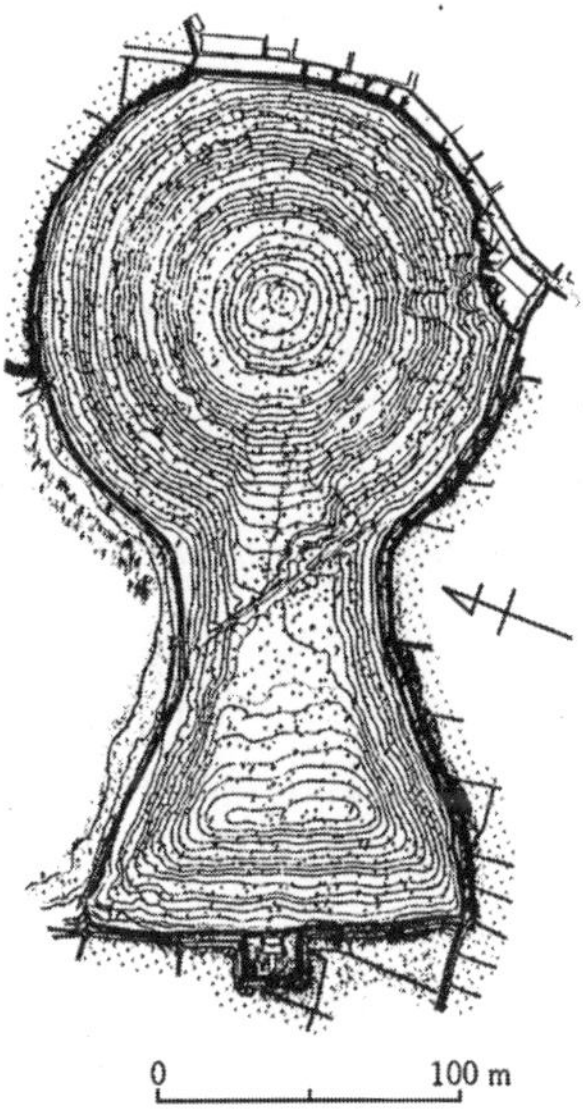

図20　奈良、箸墓古墳墳丘測量図
全長約280メートルに達する最古の巨大前方後円墳。それまでにない巨大モニュメントの登場は、人と神の共同作業の所産だと箸墓伝説は語る

間と神との共同作業の証だということを物語っている。

箸墓伝説が事実でないことは明白だが、この説話の構造を分析すると、死と引き換えに人間に神聖性が与えられるプロセスをたどることができる。出発点は、神（大物主神）と人（倭迹迹日百襲姫命）との聖なる結婚だ。この時点ですでに異常事態だが、さらに神の本当の姿を見たいというタブーに触れる人間側からの懇願に対し、神側は守られねばならぬ禁忌を課す。しかし、その約束は人間側の行為が原因で破られ、聖なる結婚は解消した。ようやくこれで社会は正常状態に戻るはずだった。しかし、聖なる結婚の当事者であった禁忌の破戒者は、自然死でなく通常ではない方法で弑殺《しさつ》されてしまう。その結果、異常事態である神との協力関係が復活する。以上がこの説話の構造だと読みとれる。つまり、この短いエピソードの中には、①神と人が交流する異常事態、②神からの禁忌と人間による破戒によって正常化、③タブーを犯した人間が殺される、④神と人が交流する異常事態の再生という4段階が埋め込まれている。

人が神と協力関係を結ぶためには、人間が神と同様の神聖かつ不可侵な存在にならねばならないのは明白だ。そのためには社会から切り離されていったん境界的な人格となり、彼または彼女を異常死させなければならなかった。境界的な人格（マージナル・マン）というのは社会学で使われた用語であり、異質な複数の集団や文化の影響を受けながら、そのいずれにも所属できない人間と定義されている。ここでは世俗から超越し、神と人間の境界に位置している人間を指している。そして、そのような大転換を可能としたのが、王墓を舞台として繰り広げられた葬送儀礼だったのではなかろうか。そう、人間は葬送という通過儀礼の力を借りてはじめて神聖性を獲得することができたのだ。同じことはイギリスの人類学者、A．M．ホカートも言っている。「最初の王は死んだ王であったはずだ」と。この言葉も、「王」の栄誉を授けられた人物が聖なる統治者となる手段は葬儀だけだと述べている。

聖地と墓地

ただし、以上のロジックは、いずれも真偽の怪しげな伝説を過剰に評価した筆者の憶測に過ぎないのではと訝《いぶか》しがる読者も多いだろう。「森の王伝説」にせよ「箸墓伝説」にせよ、考古学による裏付けはない。しかし、幸いなことに聖域の可能性が高い遺跡が世界各地にいくつも知られている。本節ではさまざまな自然環境にある4種類の聖

図21　福岡、宗像・沖ノ島遠景
絶海の孤島、宗像・沖ノ島は島自体が御神体と考えられており、「神宿る島」と呼ばれている（福岡県提供）

地の構造を概観し、人間が神聖性を身につけることができたのはどのような場所だったかについて確認していこう。

　まず「島の聖地」として、2017年に世界遺産に登録された日本の宗像・沖ノ島（図21）を典型例に挙げたい。島自体が神格化した神体《しんたい》島であり、付近には対馬暖流が流れるため亜熱帯性植物が生い茂る。島内は磐座《いわくら》と見られる巨岩が累々と露出しており、鏡や金銅製龍頭《こんどうせいりゅうとう》、金製指輪など国内外のさまざまな貴重な品々が神に捧げられてきた。しかし、島内に古墳は造営されず葬送儀礼が行われた形跡もない。この島は想像を超えた異界であるだけでなく、死者が寄りつかず

図22　フランス、カルナックの列石とサン・ミッシェル墳丘墓
ブルターニュの海岸近くにある巨石が林立した遺跡と、ヨーロッパ最大級の墳丘墓

神だけが宿る場所なのだ。当時の人々の墓域は、対岸にある新原《しんばる》・奴《ぬ》山《やま》古墳群とされている。

　次に「海浜の聖地」として、英仏海峡と大西洋に突き出たフランス北西部のブルターニュを挙げよう（図22）。大西洋に面したカルナックは新石器時代に展開した巨石文化の中心地の一つで、3000基近くのメンヒル（立てられた巨岩）が列をなしている。人為的に造られた一種の異界と言える。近接するサン・ミッシェル古墳は、長さ125メートル、幅60メートル、高さ12メートルを誇る長楕円形墳である。10基を超える埋葬施設と副葬品が確認され、拡張を重ねて巨大化した共同墓地だ。古墳の頂からは天然の良港である湾を見晴るかすことができ、ランドマークとしても機能していたことは一目瞭然である。フランスのノルマンディからポワトゥにかけての大西洋岸やイベリア半島に、この種の海浜の聖地が分布する。

一方、内陸部には「草原の聖地」がある。イギリスのブリテン島西南部のウィルトシャー地方にある世界遺産のエイブベリーには、巨石を円形に立てて並べ周溝を伴うヘンジ、共同墓地であるウエスト・ケネットおよびイースト・ケネットの古墳、木柱列で囲まれた聖地ウインドミルヒル、一見すると古墳のように見えるが埋葬施設が確認できないシルベリーヒル（図23）が近接して造営されている。このような草原の聖地は紀元前4000年紀から前2000年紀にかけて、北ヨーロッパ、ブリテン諸島に登場した。イギリスのストーンヘンジもその一つだが、隣国のアイルランドにもある。首都ダブリンの北、先史時代遺跡が集中するボイン渓谷には、ドース、ノース、ニューグレンジといった共同墓地と周溝で区画された祭場がセットで築かれた。

「山の聖地」の例としては、タイ東北部のウドゥンターニーの山頂部に立地するプ

図23　イギリス、シルベリーヒル遠景
高く盛土した円墳のように見えるが、埋葬施設は確認されていない。巨石を並べたエイブベリー・ヘンジにも近い

ー・プラ・バート（図24）を挙げよう。氷河の力で尾根線に取り残された巨岩はまさに異界と呼ぶにふさわしく、その岩陰に人物や幾何学文を彩色したロックアートが遺されている。同じウドゥンターニーには、彩文土器を副葬した共同墓地で世界遺産に登録されたバンチェンがある。タイ東北部には、ロックアートと彩文土器を副葬した共同墓地の組み合わせが点在している。

以上見てきたように、自然環境は異なるが、聖地には次の五つの要素が共有されている。第1は巨岩・巨木などの手つかずの自然物、第2は立石・立柱などの人工物、第3は石や土で構築したマウンドや自然物に人間が手を加えた記念物、第4が共同墓地、最後に第5が神や死者に捧げた品々である。第1〜第3の要素によって、人知の及ばぬ自然的、人工的な異界の

図24　タイ、プー・プラ・バート遺跡の巨岩と彩色壁画
氷河の力でえぐられた丘陵の頂上部分に残された巨岩。その庇の陰になる部分に壁画が描かれている

景観を創り出し、そこから少し離れた場所に共同墓地を設けるのが、「神聖性」を創成する場所、すなわち聖地に共通した構造のようだ。おそらく、「森の王伝説」の舞台であるディアナの森も、このような機能を兼ね具えていたのではなかろうか。

さて、では、なぜ聖地には共同墓地が伴うのだろうか？　それは、そこが単に異界に潜む神を畏怖《いふ》する場ではなく、人間が死と引き換えに神聖性を獲得する価値転換の場でもあったからだと私は考える。そうした墓所を伴う聖地は、死者のための空間でもあり、古くから他界とも呼ばれてきた。古来、人間はさまざまな他界観を創出している。日本では、柳田国男が『海上の道』で言及した南島の「ニライカナイ」が有名である。ニライカナイには、①祖先神のまします聖域、②死者の魂の行く所、③地上に豊穣・幸福・平安をもたらす霊力の源泉、④海の彼方の楽土、常世の国と多様な意味が含まれている。この多義性からうかがえるように、社会を再生産する聖地には、神宿る場所という意味と死者の魂が向かう場所という二つの意味が具わっていた。死者の島から異形の神が定期的に現世に訪れるという信仰が形になったものが、ユネスコ無形文化遺産として一躍注目されるようになった「来訪神」である。折口信夫によれば「まれびと」とも言う。浮遊する神は、社会成員から神聖性をまとわされた特定個人に依り憑き、定期的に他界に赴き、現世に戻ってくる必要があった。来訪神が異形の姿かたちである理由も、禁忌の破戒を経験したいでたちを表しているからに違いない。

「弱い王」の発見

人間が自らの権力や権威を誇示するだけでは獲得できないのが神聖性である。人間は、破戒によっていったん社会から飛び出し境界的な人格となった後、老衰ではなく異常な方法で殺されることで、はじめて神と並ぶ神聖にして不可侵な存在となれたのだ。これが、「王墓＝権力の象徴」説を打ち破る最初のテーゼである。それは王であっても例外ではないだろう。王は死してはじめて神と協力関係を結ぶことができた。社会にはじめて登場した王とは、権力者が神格化することでなったのではなく、神聖性をまとわせるために社会が必要とし、殺されるために選出された人間だったのではないか。言い換えれば、生贄のように神へ贈与された「弱い王」だったのだ。「弱い」というのは語義があいまいだが、最近公刊され考古学界にも大きなショックをもって迎えられたD．グレーバーとD．ウェングロウによる『万物の黎明』にも類似した表現がある。「最初の王は、王を演じていただけの遊戯王（プレイ・キングス）だったのかもしれない」と。「弱い王」や「遊戯王」などさまざまな呼び方があるのは不便なので、これ以降は人類学で用いられる「神聖王」と呼び替えたい。神聖王とはアフリカに住むシルック族で知られるように、住民の生命や精神のすべてを宿す存在で、王が衰え病気になると動物や植物も病気になるとされ、その事態を未然に防ぐために「王殺し」が行われた。フレイザーの『金枝篇』も、そのような文脈で捉えられている。

ここで、私は神聖王を、死ぬことと引き換えに神と協力できた王という意味で用いたいと思う。神聖王は本書の重要なキーワードの一つである。私たちが「王」という言葉から連想する、すべてを自分の意のままにできる専制君主とは正反対の存在であり、従来とは異なる新しい意味を持っている。葬送儀礼を通して、王墓の主人公である王は神へ贈与されなければならなかった。そして、このメカニズムは、神と人間の協力関係を特定の個人に固定化しないという機能も有していた。なぜなら、神聖にして不可侵となった人間はすでに死んでいるからだ。生ける王に神聖性や富、権力が集中すると、その王はやがて専制君主になってしまう。だから、神聖性の付与は死と引き換えでなければならないというテーゼを共有することで、特定人物に権力が集中することを防いでいたのではなかろうか。とりわけ、国家形成期の社会のような、集団関係が流動化し分断される危険をはらんだ時期には、それが強く意識されたに違いない。つまり、「王墓」とは、神聖性が特定の王に固定化されるリスクを回避するために、人類が発明した優れた機構と言えるのではないだろうか。

神聖王権と王墓

以上の考察を踏まえると、王のための造墓活動は、神に捧げる労働奉仕の意味合いを持つことになる。王墓は王個人のためのものではなく、神へ捧げるための記念建造物だという理解である。だとすれば、社会が何世紀にもわたって王墓を競い合うように築造し続けた理由も、ある程度推測がつく。すでに読者の中にもお気づきの方がいるだろう。そう、王墓の築造とは祭礼のような一種の無形文化遺産だったという仮説を、ここで私は提唱したい。

私の故郷、福岡県の博多では、初夏の風物詩である博多祇園山笠《はかたぎおんやまかさ》という祭礼が、少なくとも750年以上続いている。その起源は、鎌倉時代に博多に蔓延した疫病を退散させるため、承天寺《じょうてんじ》開祖の聖一国師円爾《しょういちこくしえんに》が施餓鬼棚《せがきだな》に棒を付けたものに乗り、祈禱水を散布したことだという。山笠の季節になると、市内各所には豪華絢爛な「飾り山」（図25）が立ち、「舁《か》き山」が駆け巡る。とくに、明治時代までは高さ10メートルを超える舁き山が博多の町を駆け抜けていたが、電線を切断する事故が相次いだためやむなくサイズを縮小したという。２０２０年からの新型コロナ感染拡大防止のため、３年

図25　福岡、博多祇園山笠の飾り山
7月上旬に巨大な飾り山があちこちに立ち始めると、博多の街は祝祭に包まれる

間は祭礼の延期や規模縮小を余儀なくされたが、2023年に制限の無い形で再開した。博多の人々は、これでようやく元通りに開催できると喜び、例年以上に張りきったと聞く。

日本各地には古くから続く祭礼が数多く知られている。不幸なことにケガ人や死者が出たとしても、危険だから止めてしまえという声が大きくなったとはあまり聞かない。中断することで予想される不利益と、続けることで見込まれるリスクを斟酌した結果なのだろうと推測する。もし、奉納先が神ではなく特定の個人だったら、そうはならなかったに違いない。ここで祭礼のたとえを持ち出した理由はもう一つある。それは、人々が競い合うことで、社会の要請に応じて内容が変化したとしても祭礼は継続されてきたことだ。たとえば山笠を例にとれば、はじめは施餓鬼棚に棒を付けた簡素なものだったが、博多町衆の競争心を刺激しながら、より速く、より高く、より美しく進化した。それは、誰に命令されたからでもないだろう。神への奉納という究極の目的を成就するため、試行錯誤を繰り返しながら現在の形になったのだ。王墓の場合もこれと同じことが言えないだろうか。たとえば、真正《しんせい》ピラミッド完成までのプロセスを見てみよう。

エジプト・ギザの三大ピラミッドは知らぬものがないほど有名だが、それは突然成立したわけではない。もともと、ピラミッドは古代エジプトのヘリオポリス創世神話の原初の水「ヌン」の中に、最初に神が降り立った原初の丘「ベンベン」を模したものとされている。このベンベンの形は四角錐だったから、それを模したピラミッドも正四角錐が理想形のはずだ。ところが、実際に理想を達成するには、さまざまな建築上の困難が伴った。その出発点は、第3王朝のジョセル王（ネチェルケト）がサッカラに築造した階段ピラミッドである。続いて、第3王朝最後のフニ王が、メイドゥームにはじめて完全な正四角錐の地上構造物を築こうとした。理想への挑戦だった。だが、どこかに構造的な無理があったのだろう。残念ながら、メイドゥームのピラミッドは現在では完全に崩落し、その雄姿を見ることはできない。第4王朝になって、スネフル王がダハシュールに築いた最初のピラミッドは、この失敗に鑑みたためだろうか、上半の勾配だけを緩くしたピラミッドを築造した。これは、その形から屈折ピラミッドと呼ばれている。しかし、スネフル王は満足せず、2度目の挑戦をダハシュールで敢行した。それは、屈折ピラミッドの上半分を切り取った正四角錐のピラミッド（赤いピラミッド）だった。これは、エジプトではじめて築造された真正ピラミッドだが、後のものよりも斜面の勾配が緩い。正四角錐という理想の形は達成したものの、高さが犠牲にされていた。このような試行錯誤を経て、ギザに、クフ、カフラー、メンカウラーという3人のファラオのピラミッド・コンプレックス（葬送複合体）がようやく完成した。以上の真正ピラミッド完成までの歩みからうかがえるように、神への奉納を完璧に成就することの方が当時は重大事であって、ファラオ自らが権力誇示のために巨大化したという推測は当たらない。

王のための造墓に携わった人々にとって、王を神へ贈与するための舞台（王墓）をいかに荘厳に仕上げ、他の集団よりも印象的な葬送儀礼を奉納するかの方が重要だった。つまり、王墓が競って築かれたのは、過去の王墓より巨大化することを志向したためではなく、同時代の人々にどのように見せるのか（見られるか）の方に力点が置かれたためではなかろうか。本書で王墓を「見せる埋葬」と評する背景には、自らの権力や権威を人々に見せつけるという意味以上に、他と優美さや勇壮さを競い合い、それを継続していくことで維持される関係性が社会の分断を防止するといった役割も含まれている。したがって、王墓が、常に右肩上がりに巨大化するのではなく、見る側と見せる側の関わり合いの中で拡大と縮小を繰り返すのは何ら不思議なことではない。社会から求められれば規模が拡大し、その必要がなければ縮小することは祭礼の本質でもある。その意味で、王墓や古墳の研究で定説とされてきた、規模の大小をそのまま権力の強弱とする解釈を、深く考慮することもなく当時の社会構造に当てはめることは間違いだと言わざるを得ない。

以上の検討を踏まえて、王権というメカニズムを創出し王墓を築造し続けた社会を「神聖王権」と名付けたい。はじめて神聖王権という体制と王墓という機構を生み出した社会は、賢明にも、王と神の協力関係を特定個人に固定せず、権力の集中を阻害する社会システムとして機能させていた。

次章では、今度は富の集中を阻害する社会システムである「威信財経済」について議論する。この「威信財」も考古学者がよく使う用語の一つだが、権力者が自らの権威を誇示するための奢侈品《しゃしひん》というほどの意味に誤解されている。王や王墓と同じく、この先入観を排除しなければ、王墓を築き続けた社会の本質には迫れない。

第5章

王墓にはなぜ高価な品々が副葬されたのか？

威信財とは何か

一見して高価そうという見栄えではなく、当時の社会にとって「価値が高い」とされたものを私たちは見分けることができるだろうか？　また、市場経済内の貨幣では取り引きされなかった副葬品の価値は、どのように決められたのだろうか？　この難問にアプローチするために、まず最初に、私も関わった発掘調査の現場を披露したい。

阪神・淡路大震災や地下鉄サリン事件があった激動の１９９５年、私は広大な発掘現場に立っていた。丹後半島のほぼ山中、京丹後市弥栄《やさか》町で（財）京都府埋蔵文化財調査研究センターが行った京都府奈具岡《なぐおか》遺跡、奈具谷《なぐだに》遺跡の調査のためである（図26）。

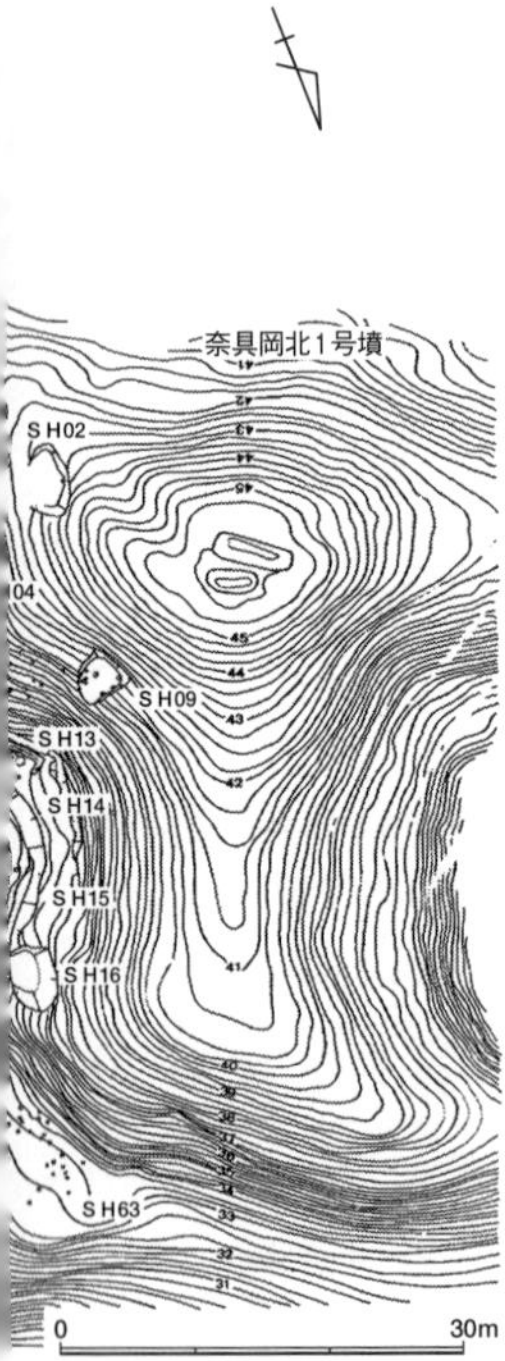

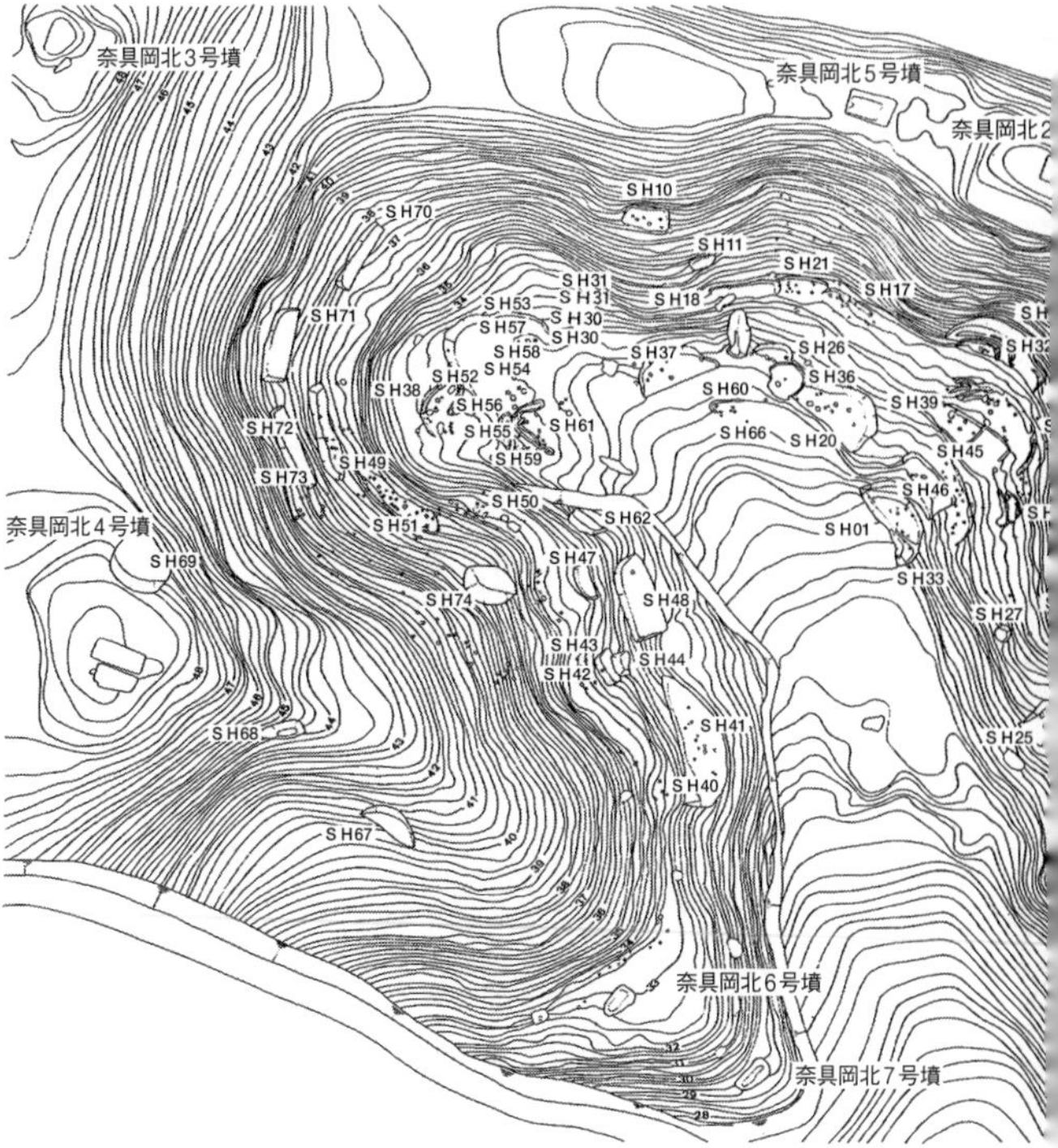

図26　京都、奈具岡遺跡の玉作工房分布

北に開口する谷の斜面をテラス状に削って、数多くの工房（SHと記した）が建てられていた。弥生時代屈指の玉作専業の集落だ

（『京都府遺跡調査概報』第76集、1997年より）

前年の発掘調査で約2000年前の緑色凝灰岩と水晶を材料とした玉類の製作が確認されていたが、集落全域を対象としたこの年の調査では36基の建物を検出し、そのうち24基が水晶製玉作に関連した工房と判明した。国内最大規模の玉作専業集落である。製作工程が復元できる約450点の水晶玉作関連遺物に加え、鉄製工具類、砥石なども多く見つかった。驚くべきことに水晶製玉類の鉄製工具は、中国もしくは朝鮮半島から輸入された鋼《はがね》を加工したものだった。鉄鉱石や砂鉄から製鉄しただけでは鋼にはならず、もっと高度な製錬技術が必要だ。弥生時代、国内には鋼どころか鉄を生産する技術すらなく、すべて輸入しなければならない極めて高価なものだった。その貴重な鋼や鉄を、玉を作るためだけの工具に使用して、惜しげもなく使い捨てたのだ。なぜ、約2000年前の丹後半島の山中に、突如、このような専業工房群が登場したのだろうか？

　その謎を解明する手掛かりが、周辺の尾根上に累々と築かれた台状墓《だいじょうぼ》群である。丹後半島の有力な首長墓からは、しばしば海外からもたらされた奢侈品が出土する。鉄製の小刀（刀子《とうす》）、赤色顔料（水銀朱）、ガラス製の腕輪は中国大陸産あるいは朝鮮半島産、銅製および貝製腕輪は国産だ。中国製のガラス製小玉と奈具岡遺跡で作られた水晶製玉類の両方を使った首飾りを副葬した墓もある。なぜ近畿中央部ではなく北近畿の弥生社会で、ガラスや鉄といった舶来の貴重な品々が入手できたのか？　その理由は、当時の丹後半島に強力な王権が築かれていて、中国王朝や朝鮮半島諸国と独自に外交関係を結び、貴重品を取り寄せていたからではない。そうではなく、日本海を越えて地域社会にとめどなく流入する奢侈品を均等に分配しなければ、富の蓄積が偏ってしまい社会不安が増幅する。そのような事態を回避するために、同等の交換価値を持った奢侈品を生産し、舶載品と交換することで集団間の均衡を保ったと私は考える。奈具岡遺跡から出土した鉄が、貴重なものであることに疑いの余地はない。だが、それをそのまま首長が独占すると、富の所有に著しい不平等が発生し、社会を分断する引き金となる。そこで、貴重な素材を工具に加工し、水晶製玉類という、より高い価値を持つ奢侈品の生産に利用することが選択された。このような貴重なものどうしを掛け合わせて生産物の付加価値を高めるような生産活動が、すでに2000年以上前に展開していたのは驚くべきことである。

以上のように社会内を生産・流通・消費されながら循環する高い価値が付加された財を、文化人類学や考古学の成果を踏まえ「威信財」と呼ぶ。「威信財」とは、単なる奢侈品や貴重品ではなく、持つことが名誉と見なされただけのものでもない。逆説的な言い方だが、社会で「威信財」として運用されたものだけが威信財になる。その生産活動を「威信財生産」、威信財の贈与や交換も含めた経済活動の総体を「威信財経済」と呼ぶことにしたい。

巨大帝国の周辺で誕生する威信財経済

奈具岡遺跡で約2000年前に威信財生産が出現した背景には、海を介した交流がある。当時の国際情勢から説明しよう。発端は、ユーラシアに君臨した東西の大帝国、ローマと後漢が2世紀後半以降に極度のインフレーションに見舞われたことだった。二つの巨大帝国はシルクロードで緊密に結びついていたから、玉突きのように相互に影響を及ぼし合う。当時、両者はすでに市場が高度に発達した貨幣経済にあった。現在と同じく、市場ではインフレになれば貨幣価値が下がり、財の価値が極端に上がる。そうすると、市場内で売買できなくなった貴重な財は市場外へと滲みだしていく。しかし、市場経済が発達していない地域では、贈与か交換しか入手する手段がないために、一気に流通することは望めない。何も手を打たなければ、エリート層が貴重な財を独占し、富の不均衡を招きやすい環境にあった。帝国の周辺では、流入した貴重財を威信財として贈与・交換することで、富の偏重を破壊するシステムを早急に確立する必要に迫られた。2〜4世紀の極東アジアはまさにそのような世界情勢にあった。

日本列島内でその余波を強く受けたのは、中国大陸や朝鮮半島に近い西日本だった。この地域では、弥生時代前期後半以降、青銅鏡、鉄製武器などが大陸や半島から絶え間なく流入したが、特に加速したのは中期後半、紀元前1世紀を迎えて以降である。日本列島内の、なかでも天然の良港である潟湖が発達した日本海岸には、渡来した人々が携えてきた貴重財を交換するための臨時の市が設けられ、通訳を介して漢字文化がいち早く共有された。こうして、日本列島内に流入した希少なる品々は、威信財として贈与や交換が繰り返された挙げ句、最終的には首長墓に副葬されて富の破壊が完了した。そうすると、次の貴重財を受け入れる余地ができるので、再び新しく半島や大陸からもたらされ、贈与や交換のサイクルが再始動する。と同時に、舶載された貴重財と交換し、経済循環の中で不足した威信財を補完することを目的とした生産活動も再開される。こうして威信財経済は循環し増殖を続けていく。このような理解に立つなら、西日本の弥生時代中期後半に顕在化する豊かな副葬品を伴う墓についても、「王墓＝権力の象徴」説とは別の捉え方ができるように思う。すなわち、定説を打破する第2のテーゼは「威信財経済」だ。在地首長が自らの権力に任せて高価な品々を独占し、墓に埋めたのではない。王墓とは、富の集中による社会の分断を回避するために繰り返された威信財の贈与や交換を、神への贈与という形で終わらせる帰結点だという捉え方はできないだろうか？

社会と威信財経済

以上に述べた仮説の前提となる威信財論は、フランスの人類学者M・モースの「贈与論」とも密接な繋がりがある。彼は、無文字社会での贈与や交換といった行為は、経済的であると同時に宗教的なもの、法的にして道徳的、政治的にして家族的、功利的にして情緒的、審美的なものであり、交換が循環するシステムは、一定の道徳的義務を前提に発生した「全体的社会的事実」だと指摘した。彼の言葉のままだと抽象的過ぎて何を言っているのか分かりにくいので、人類学で良く知られた事例を紹介して説明したい。

メラネシアのニューギニア島東部に位置するトロブリアンド諸島は、イギリスの人

図27　儀礼的交換に用いられたクラ・カヌー
沖縄県の海洋文化館に展示されているクラ・カヌー。帆を立てた実物を日本で見られるのは珍しい

類学者であるB．マリノフスキーが報告したクラ交換の舞台として良く知られている。円環状に並ぶ島々では、首飾り（ソウラヴァ）が時計回りで、貝輪（ムワリ）が反時計回りで交換されるという不思議な風習が息づいていた。威信財と見なされた2種類の服飾具が、それぞれ反対方向にグルグルと循環する儀礼的な交換である。威信財を運搬する船は、クラ・カヌーと呼ばれる豪華に飾られた非日常用船だった（図27）。交換相手はあらかじめ厳格に定められており、季節風が吹くと次に所持する側の男たちが命がけの遠洋航海で威信財を受け取りに行く。これは、犠牲を

払ってでも交換を維持継続することが社会の存続に不可欠だという強い信念に基づくものであり、トロブリアンド諸島の社会は破ることができない一種の義務的贈答が埋め込まれた「威信財経済」下にあったことを証明する。クラ・カヌーに乗って到来した人々は、まさに外から来訪する「まれびと」（来訪神）と同じ役割を果たし、彼らに贈与することで、ようやく社会は負債感を払拭することができた。

威信財経済にある社会を支える原理とは、強制力に裏打ちされた義務的贈答である。贈答の継続は義務であり、威信財の循環を自分たちの所で止めてはならない。もし、仮に止めてしまえば、富の不均衡が発生し社会を分断する引き金となる。しかし、一方で義務的贈答を継続することにも大変なコストがかかった。絶え間なく流入する貴重財を放置しておくと、いずれ交換価値が下落して威信財ではなくなるため、交換価値を常にリセットしなければならない。そして、リセットする最も簡単な方法は、神へ威信財を贈与した形にして、交換価値をチャラにすることであった。人間世界の交換では、より高い付加価値を持つ財を贈ろうと競い合うため、負債感の連鎖を断ち切ることができず、これでは交換価値の再構築はいつまで経っても不可能である。しかし、神への贈与であれば神の側からの反対給付はあり得ず、交換価値をいったんゼロ地点にまで戻すことができる。その間に新たな付加価値を持つ威信財を導入すれば良い。こうして、威信財の義務的贈答を続けながら社会組織を再生産する必要性に迫られた時、人々は王墓を築く動機を得た。

しかし、王墓による解決を選択しなかった社会もある。私たちに身近な例としてはアイヌがある。3世紀以降、北海道アイヌは本州や大陸と活発に交易し、北海道で捕獲されるクマやシカなどの陸獣、ラッコやアザラシなどの海獣、樺太からはクロテンを入手して本州の鉄器と交換した。この活発な交易関係を背景にガラス玉、刀剣、漆器などのイコロ（宝物）が北海道内に流入した。西暦13世紀には南北交易のシステムが完成し、多種多様なイコロは、狩猟域の境界保証、漁業権を譲渡したことの対価、結婚に際し花嫁の親族に贈呈する結納品、紛争解決とその贖罪の証となる資財の役目を果たした。アイヌ社会は威信財経済にあったが、王墓は築かれていない。神と交流する手段が造墓以外にあったのか、あるいはイオマンテの子熊のような神聖性が付与された動物が担っていたのかもしれない。また、北米太平洋岸に住む先住民社会のポトラッチ儀礼も、贈答競争を行うが、墓は造らない。ある民族が宴会を開いて財物を消費すると、招かれた相手も名誉をかけて別の機会にそれ以上の消費をする。ヨーロッパの宣教師たちは、これを非生産的で非文明的な乱痴気騒ぎで浪費に過ぎないと捉えたが、当事者たちにとっては富を消費し破壊することで一種の社会秩序を回復する、きわめて賢明な手段に他ならなかった。

王墓の起源

一方、王墓の築造に舵を切った社会ではどうだったろうか？　前章で確認したように、王は強権的な支配者ではなく、自然災害、人為災害など社会の存続を揺るがすような重大な局面に瀕した時、成員の中から選ばれた人物であり、その人物が威信財を携えて神に捧げる役回りを演じた舞台が王墓であると理解された。そのルーツとなる埋葬例が後期旧石器時代、今から3万4000年前から2万6000年前にかけてのユーラシア西部に登場する。人々が狩猟採集を生業《なりわい》とし、王朝はおろか大規模定住さえ確認されていない氷河期の真っただ中だ。ロシア北部のスンギルで確認された墓に葬られた人物は、マンモスの牙やキツネの歯で作られた何千ものビーズで覆われていた。また、槍と共に2人の少年が合葬された墓もある。イタリアのリグーリアに造られた洞窟内の墓地には「イル・プリンチペ（イタリア語でプリンスのこと）」と呼ばれる墓があって、フリント製またはヘラジカ角製の儀礼用杖、貝殻と鹿の角で作られた豪華な頭飾りなどが副葬されていた。また、フランス南西部のドルドーニュにも類似した豪華な墓がある。ここからは、約190マイル（約305キロ）離れたスペインのバスク地方で狩猟された鹿の歯を加工した装飾品が出土した。これらの豪華な埋葬について、考古学者は権力者を頂点とした階層分化の起源が、早くも狩猟採集民にも芽生えていたことを示すと評価した。副葬品が多い人物＝権力者というテーゼに縛られていたからだ。しかし、後期旧石器時代の豊かな副葬品を携えた墓が、その後も定着した形跡はない。人類学的な洞察によれば、このような墓制は、季節ごとに遊動生活を繰り返す狩猟採集民が、さまざまな社会組織を編成する中で採用した選択肢の一つに過ぎないと考えられている。つまり、このような埋葬の風習は社会の中に階層制が芽生えた証拠とは見なせない。ともあれ、最も注意されるべきは、副葬品には高級な素材が非常に遠くから運ばれて使われており、分業が高度に進み専門工人の存在が示唆されることだ。それは威信財と呼んでも良い特質を具えていた。

この後期旧石器時代の「王墓」は、高価な副葬品（威信財）を供える特定個人墓の起源が、王朝の成立するはるか以前にまで遡ることができ、それは一時的な風習でしかなかったことを教えてくれている。しかし、たとえ継続はしなかったとしても神聖王が威信財を携えて神へ贈与された王墓のルーツを、これらの豪華な墓に見出すことはあながち間違いとは言い切れまい。

以上の説明から明らかなように、威信財とは決して自身の名誉のために交換されたものではない。威信財を数多く所有すればするほど、高い名誉を持つ人物と考えられたわけでも決してない。適切なたとえか躊躇《ちゅうちょ》するが、威信財とは一種の「不幸の手紙」のようなものだ。威信財を入手すると、所有者は自分の所に留め置くことは許されなくなる。他者に贈与するか、あるいはそれ以上の価値ある財を贈らなければならない厄介なものだ。この負債の連鎖という悪夢から逃れるための一つの手段が、先述したように神への贈与だった。そして社会が王墓の築造に舵を切った時、威信財を携える王は神と同等の神聖にして不可侵な存在でなければならなかった。

王墓と長距離交易品

改めて検討してみると、王墓の副葬品には長距離交易で入手したものが少なくない。それが分かるのが、ユーラシア大陸中央部に広がるステップ草原地帯や永久凍土地帯に築かれた王墓である。西シベリアのアルタイ地方に築かれたパズィリク古墳群（図28）はユーラシアの東西交流を担った騎馬民族の王墓で、そこからは動物文様などのアップリケを施した絨毯《じゅうたん》や織物、西アジアからの渡来文物、絹織物・中国鏡などの中国文物が出土した。東西文明の交流に大きな役割を果たした遊牧民の面目躍如たる内容だ。中央アジア、バクトリアの王墓で現在のアフガニスタンに築かれたティリヤ・テペからも、スキタイやインド、地中海世界の系譜を引く豊かな副葬品が出土している。このうち、とくに注目されるのがティリヤ・テペ4号墓から出土した直径1・6センチの小さな金製メダル（インド・メダイヨン）だ。古代インドで使用されたカローシュティー文字で「法輪を転じる」と書かれ、法輪を両手で転が

図28　ロシア、パズィリク5号墓の木槨
木を組み合わせて築かれた墓室（木槨）の中に、軽く膝を曲げた遺骸が埋葬された。シベリアの王墓である
（M. ロストウツエフ著、坪井良平ほか訳『古代の南露西亜』、1944年より）

す人物像が表されていて、仏の教えが衆生の煩悩を打ち砕くさまを車輪に譬《たと》えた「転《てん》法輪《ぼうりん》」を連想させる。なぜ、仏教との関連性がうかがえる遺物が遊牧民の王墓に副葬されたのかは定かでない。また、ティリヤ・テペ６号墓の被葬者は若い女性で、鉢巻き状の横帯に鳥が止まった樹木形立ち飾りを５本立てた金製冠を身につけていた。これは韓国・新村里《しんそんり》９号墳や奈良県藤ノ木古墳から出土した東アジアの金銅製冠と意匠が共通し、極東アジアとの交流がうかがえる。匈奴《きょうど》の王族墓では、モンゴルの首都ウランバートル北方にあるノイン・ウラ（ノヨン・オール）がある。紀元前後に造営された２００基以上から構成される古墳群で、副葬品には、漢の文様を持つ絹布、漆塗り杯、彩画を施した漆棺《うるしかん》などが見られる。さらに、動物闘争文や植物文を刺繍した絨毯、ビロードなどは西アジアに由来し、小アジア（トルコのアナトリア半島）で作られた植物文のゴブラン織は地中海の系譜を引く。また、パルメット、ロゼッタやグリフィンなどの図文は、ペルシャ芸術からの影響も見て取れる。要するにノイン・ウラも東西文化交流の結節点に造営された王墓なのだ。

以上の貴重品は、遠距離交易で入手された唯一無二の威信財として機能したと推定される。いずれの例もユーラシアの東西交流を担った民族の王墓である。ユーラシアの遊牧騎馬民族は、都市を築かないため「都市革命」説に対する有力な反証となる。ここからも、都市は王墓が登場するための必要条件ではないと断言できる。

威信財ピラミッドの形成

さて、しかし、威信財が長距離交易でしか入手できない貴重品ばかりだとしたら、それらはいずれ枯渇してしまうのが必定だ。長距離交易で入手する貴重財は、安定的にいつでも入手できるものではない。そこで、代替となるものを生産して威信財の循環を補完しなければならない。つまり、外部との交易でしか入手できない威信財（非生産型威信財）と社会の中で作り出すことのできる威信財（生産型威信財）とが一緒になって、威信財の贈与や交換は維持される。しかし、代替品は代替でしかなく唯一無二の威信財よりは交換価値が劣る。そこで、威信財経済が浸透した地域では、非生産型威信財を上位とし生産型威信財を下位とした威信財ピラミッドが形成された。威信財の付加価値のランキングをピラミッドで表現したものだ。その具体例を、北アメリカのマウンド文化で確認してみたい。

北アメリカにも古墳のように土を盛った遺跡（マウンド）があるが、古墳と異なり

図29　アメリカ、カホキア遺跡のマウンド第72号墓
長楕円形の古墳に、遠距離交易でもたらされた威信財を携えて男性が埋葬された

特定個人のための巨大な墓はあまり発達していない。9世紀から15世紀にかけて、合衆国中西部、東部および南東部に展開したミシシッピ文化の中心地、イリノイ河岸の盆地に立地するカホキアには、長さ316メートル、幅241メートルで高さ30・5メートルのマンクス・マウンドが築かれた。これは、クフ王のピラミッドやテオティワカンの太陽のピラミッドをはるかに凌駕するモニュメントで、墓ではなく4度拡張され、頂上には30メートル×12メートルの建物が建てられた。南に約800メートル隔たるマウンド第72号は、10世紀半ばに築かれた長軸42・7メートル、短軸21・9メートル、高さ1・8メートルの長楕円形墳（図

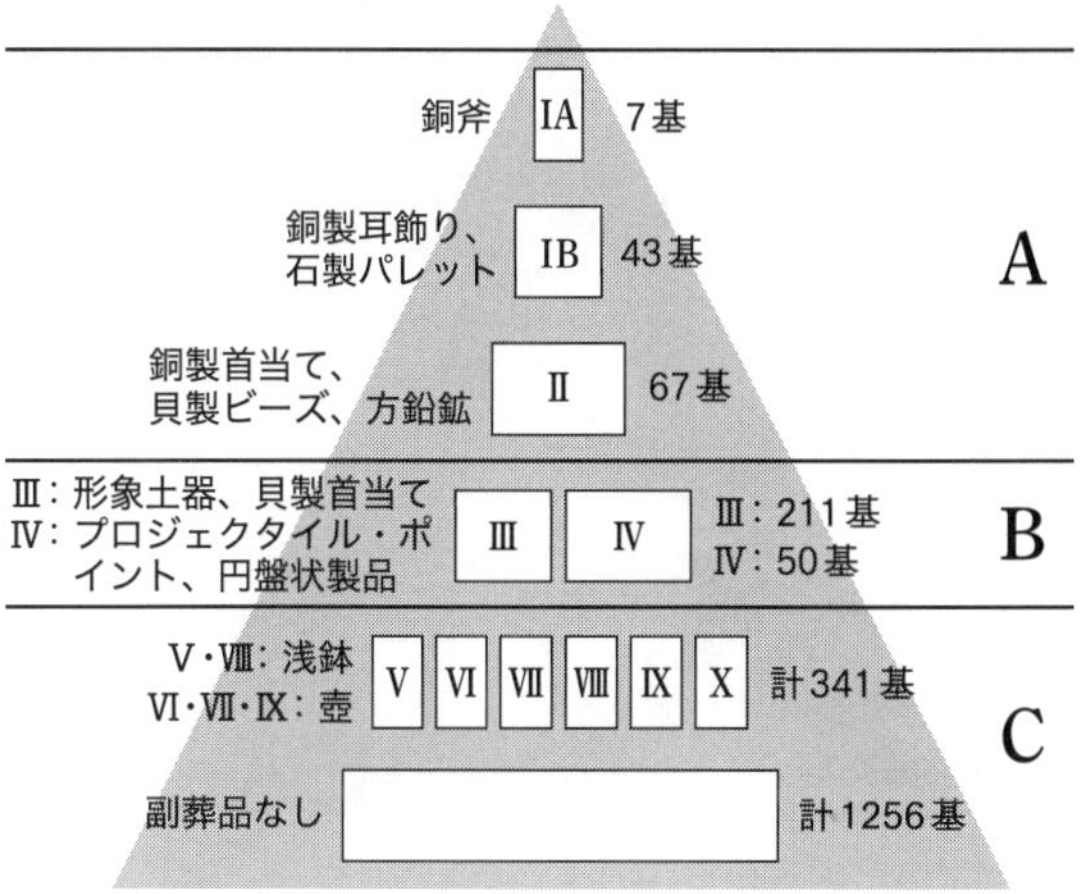

図30　アメリカ、ミシシッピ文化の威信財経済

ミシシッピ文化では、価値に基づいてA・B・Cの3ランクに分かれた威信財ピラミッドが構成された

29）で、東の端に埋葬された40代の男性はメキシコ湾岸からもたらされた2万個以上の貝製ビーズを身につけていた。また、ゲームに用いられた円盤やノースカロライナに産出する雲母《うんも》板、スペリオル湖地方から運ばれた銅板など、長距離交易によって入手した威信財が副葬され、300体以上の殉葬・犠牲が伴っていた。また、カホキアと並ぶ重要な遺跡のマウンドヴィルでは、20基のマウンドで埋葬が確認された。その副葬品を精査すると、図30に示したような、A・B・C、3ランクの威信財ピラミッドが確認できる。

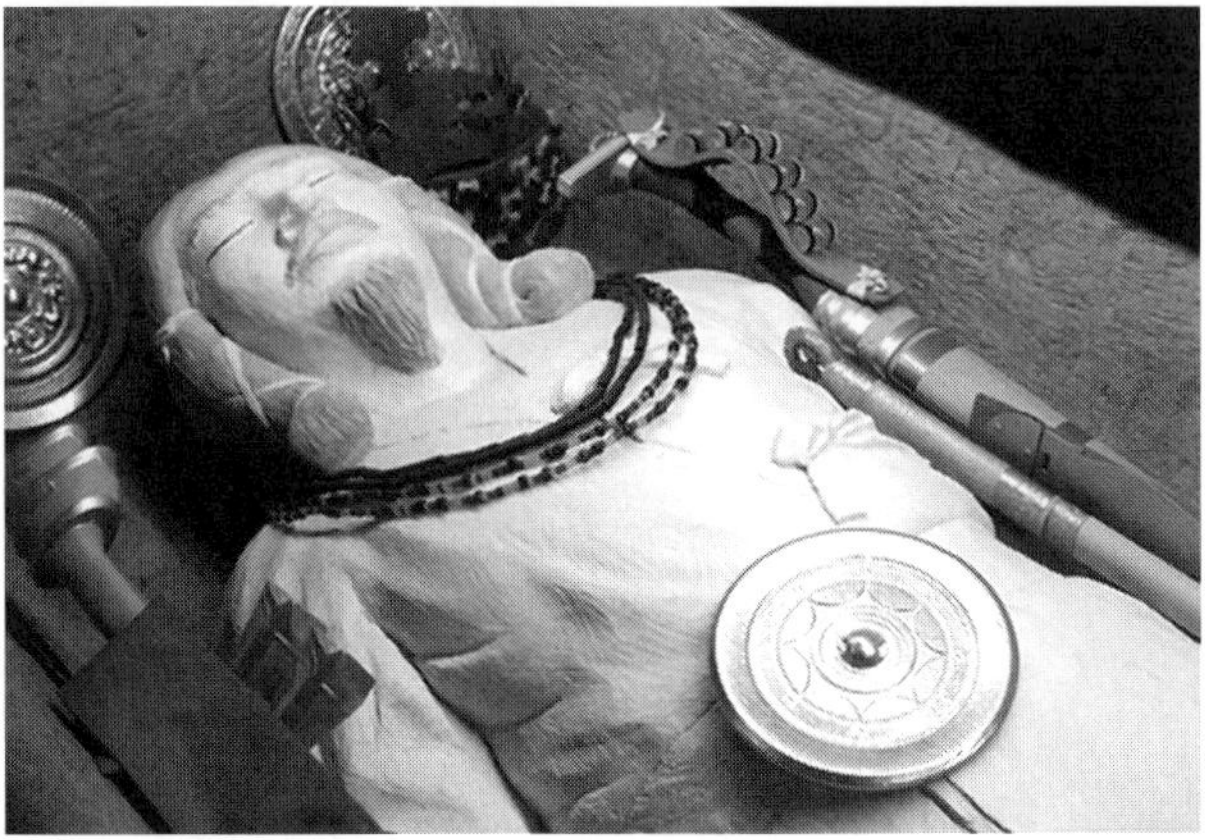

図31　被葬者と副葬品
被葬者を威信財を携えさせて埋葬することは、神への贈与を通じて社会を再生産する行為と考えられる（大阪、今城塚古代歴史館）

全ての生産物を威信財にできるわけではなく、生産型威信財は非生産型威信財による裏付けが不可欠だった。あたかも金本位制において貨幣の価値を国が保有する金の総量で裏付けたように。したがって、威信財経済とはコインを媒介としない貨幣経済、威信財という現物貨幣が流通する経済だと見ることもできよう。ところが、威信財経済の性《さが》として、相手より多くの財で交換しようとするために、威信財の生産は時が経つにつれてますます加速してゆく。威信財経済は一種の貨幣経済だから、威信財が過剰に生産されると交換価値が下落する。交換価値が変動すると威信財ピラミッドが錯乱し、それに基づいた集団同士の関係も流動化する。これは社会を分断するリスクを生じさせた。そのため、威信財はインフレになる前に更新されなければならなかった。うまく更新されると新しい威信財ピラミッドが再構築され、威信財生産の管理や交換も再編される。つまり、社会組織は再生産される。そのために古い威信財は王に携えさせて埋葬し（図31）、新たに更新された威信財の贈与や交換の循環が始められねばならなかった。

王墓を誕生させた「神聖王権」と「威信財経済」

王墓に副葬されるのは、なぜ威信財でなければならなかったのか？ 現代の私たちから見ると、面倒この上ない経済システムのように見えるが、当時の人々にとっては実に理にかなったシステムだった。その利点は、威信財が常に次の受領者へ受け渡されるため、富が一ヵ所に止まらなかったことだ。特定個人に富が集積しないため社会の平衡関係が持続し安定する。つまり、威信財の入手、生産、更新、副葬といった循環の機構を起動させ続けている限り、常に富は破壊され続け、不均等に蓄積することはあり得なかった。これこそ王墓に威信財を副葬することの本質的な意味であると私は考える。

以上の仮説は、王のための墓造りを継続した社会が、なぜ「神聖王権」と「威信財経済」でなければならないかの説明にもなっている。前章で触れたように、「神聖王権」とは特定個人に神聖性を集中させせないシステムだ。「威信財経済」とは特定個人に富を集中させせないシステムだった。神聖性と富が特定個人に集中すると権力が発生してしまう。したがって、王墓とは王の専制君主化を抑制するシステムだった。王墓とは、王が貴重な財を独占し、それを他人に渡さぬために地中に秘匿した場所ではない。王墓の築造を続けることは、特定個人を専制君主にせず、社会の分断リスクを最小化するために人類が発明した賢明な機構と言えるのではなかろうか。あらためて、私たちは、「王墓＝権力の象徴」という先入観を頭から取り除いて、王墓と向き合わねばならない。

第6章

王墓はなぜ時代・地域を超えて築かれたのか？

造墓と大きな犠牲

　前章までが、本書が提唱する「王墓はなぜ築かれたのか？」という問いに対する回答である。そうだとしても、はじめて聞いた読者は半信半疑なのではなかろうか？　仮に、王墓は権力や富を特定個人に集中させないための人類の発明だとする筆者の主張を、ひとまず認めるとしよう。しかし、時代や地域を超えて、この新たな機構を人類が創出できたのはなぜだろうか？　それが実際の考古学的な証拠から証明できなければ、筆者が提唱する新説をにわかに信じることはできない、と。

　そこで、この疑問に答えるための出発点として、王墓を誕生させたのは人類普遍の原理ではなく、きわめて限られた条件を満たした社会だけだという仮説から入ってみたい。

　王さえいれば、王墓は自然にできあがるものではない。王のための墓を築き続けるには、築造と運営に携わる人々の並々ならぬ犠牲が必要だからだ。試みに日本最大の前方後円墳である仁徳天皇陵古墳を完成させるために何人の労働者が何年間働いたのか、具体的に考えてみよう。これについては、大林組の研究グループによるシミュレーションが良く知られている。仁徳天皇陵古墳の総体積を１４０万立方メートル、１人の作業員が掘削できる土量は一日に２立方メートルで、濠から２００〜２５０メートル移動させることができたと仮定する。さらに、古墳には周囲に深い濠があり、30メートル以上の高さへ盛土する作業も欠かせない。古墳築造という現場工事だけでも、石室を造り石棺を納め、葺石《ふきいし》を運び貼り付けて、埴輪を立て並べ……といったさまざまな作業がある。つまるところ、延べ労働力は６８０万人で、ピーク時には一日２０００人が働いたとしてもおよそ16年かかると試算されている。さらに、築造後の諸々の儀式など運営に関与した人数も加算するならば、さらに莫大なエネルギーが注力されたことは言うまでもない。

　もちろん、王墓の中にはここまで工事が大変でないものもあっただろう。巨大な墳丘を築き上げるのはいわば日本の古墳の特徴で、たとえば、墳丘の小さな百済の武寧《ぶねい》王陵《おうりょう》などはそこまでかからなかったと思う。ただし、問題は労働力の大小ではない。近年では、ピラミッド建設を公共事業とみる学説が支持を集めている。ピラミッドの築造は農業ができない時期に行われ、動員された農民には食料やワインなどが支給されたため、彼らは労働力の提供を厭《いと》わなかったとする見解だ。過酷な労働の見返りとして生活を保障されたことが、神への労働奉仕（奉納）という動機を後押しした可能性もなくはない。また、王墓の築造には、労働従事者のための造営キャンプ（ピラミッド都市）が伴う事例もあるから、造墓に関係する限りは衣食住に困らなかった可能性も否定できない。しかし、この王墓＝公共事業説は、造墓を生活を保障するセーフティネットと見なすようなものではないか。公共事業と見なす点で、権力者が施す生活保護のような、現代的な見方を投影させた幻想的願望にすぎないように私には思われる。

本章の冒頭に掲げた仮説に戻ろう。これほどの犠牲を払ってまで王墓を誕生させたのは条件を満たした社会のみであるとするならば、その条件とは何だろう。第4・5章で見たように、私はそれを「神聖王権」と「威信財経済」と考える。と同時に、「神聖王権」と「威信財経済」が揃い「王墓」の誕生に向かって理想的な道筋をたどったケースばかりではなく、条件が満たされず王墓が誕生しなかった社会も少なくなかったと想像される。そこで、ひとまずこの3者の組み合わせを考えてみると、少なくとも以下の五つのパターンが想定できる。

パターンA：神聖王権も威信財経済もなく、王墓も成立しない
パターンB：神聖王権だけが成立し、威信財経済も王墓も成立しない
パターンC：威信財経済だけが成立し、神聖王権も王墓も成立しない
パターンD：神聖王権と威信財経済は成立したが、王墓は成立しない
パターンE：神聖王権と威信財経済が成立し、王墓が誕生する

この5パターンについて、実際の考古学的証拠で跡付けられる試行錯誤の過程を整理してみよう。そうすると、①王墓を築かなかった社会、②王墓を拒絶した社会、③独自に固有の王墓を創成した社会、④文明の交流によって王墓が成立した社会という四つの社会が見えてくる。この四つの類型整理に立って、時代・地域を超えた王墓の展開を概観してみたい。

王墓を築かなかった社会

まず、パターンAの事例を見ることにする。「エジプトはナイルの賜物である」というヘロドトスの格言で有名なエジプトでは、紀元前5000年紀中頃、狩猟採集や

図32　エジプト、バダリ期の埋葬例
先王朝期、四肢を強く屈曲して埋葬（屈葬）され、土器や器物が副葬された（イギリス、大英博物館）

農耕を生業とする小さな集落が誕生した。当時の墓は、死者は手足を折り曲げて埋葬（屈葬）され（図32）、口縁部《こうえんぶ》が黒く縁取られた土器（ブラック・トップ型土器）、象牙製ナイフ、ビーズなどが副葬された竪穴墓だった。悠久の歴史を誇る中国でも、男性を伸展葬（手足を伸ばした姿勢での埋葬）、女性を屈葬としたほぼ同時期の共同墓地がある。主な副葬品は、ブタの下顎骨のほか幾何学文を彩色した土器（彩陶《さいとう》）である。いずれも、墓の規模や副葬品の違いが被葬者の性別差に基づいた共同墓地の時代であり、後にピラミッドや皇帝陵などの巨大な王墓を創出した文明でも、出発点は非常に簡素な墓制だったことが分かる。

もちろん、これら以外にも違いの少ない等質な埋葬法を行っていた地域を挙げればキリがない。逐一例示することは避けるが、これらは王墓への胎動が始まる前の黎明期の墓制と見なすことができるだろう。さらに言うなら、発掘調査で確認できるような痕跡を残さない風葬や水葬のような埋葬法や、散骨葬なども相当数あったに相違ない。

次に、パターンBに該当するのが先史時代のヨーロッパだ。エジプトでピラミッド建造が始まる1000年以上前、ヨーロッパではじめて墳丘を持った墓が誕生した。フランス北西部のバルネネ古墳は、長さ75メートル、幅20〜25メートルの長い台形プランで11基の石室を内蔵し、約600年間にわたって埋葬が続けられた。ヨーロッパの先史時代の古墳は、特徴である墳丘規模の巨大さから王墓のように見られがちだが、その実態は共同墓地である。「草原の聖地」のところで言及したイギリスのウエスト・ケネット古墳でも56体以上が納骨されていた。アイルランドには、埋葬前にいったん火葬にする風習があったため、物理的に限られた墓室内でも数多くの遺骸を収めることができた（図33）。一方、ヨーロッパの中には古墳ではなく石造モニュメントと共同墓地が一体化した例もある。美しい景観から地中海に浮かぶ宝石と呼ばれるマルタは小さな島国だが、幾何学文で装飾された巨石神殿（ハルサフリエニハイポジューム）が紀元前4000年に築造され、約2000年間にわたって共同墓地として利用された。ただし、島内で30基ほど知られる巨石神殿の全てが共同墓地だったわけではない。こ

図33　アイルランド、ニューグレンジ墳丘墓
巨大な墳丘墓で、入り口が渦紋の彫刻で飾られた装飾墓でもある。天体観測に基づいて築かれたとする説もある

れらの古墳や巨石神殿は、ヨーロッパ先史時代に普及した巨石文化の所産とされている。世界各地に広がる巨石文化と共同墓地は、第4章で確認したように共に聖地の構成要素になっている。なぜなら、聖地とは単に人々が神を崇拝する場に止まらず、人間が死と引き換えに神聖性を獲得する価値転換の舞台だったからだ。以上、見てきたように先史時代のヨーロッパでは神聖王権が芽生えていたものの、神に捧げる威信財がなかったために共同墓地の域を超えることができなかった。神聖性を生み出す機構は誕生していたけれども、王墓の誕生が叶わなかった地域と考えられる。このようなパターンBは、先に見た「海浜の聖地」、「草原の聖地」だけでなく、東南アジアのタイ東北部やインドネシアの

図34　インドネシア、レンバク7号墓
スマトラ島南部に出現した装飾墓。地下にある墓室の天井部を覆う巨石の一部が標識となっている

南スマトラ（図34）に見られる巨石文化と関連した「山の聖地」にも当てはまる。

三つ目に、パターンCとして注目されるのが遠距離交易の担い手であった海洋民だ。元々、海洋民は王墓を築かない傾向がある。たとえば、航海術に長じ地中海貿易を独占して各地に都市国家を建てたフェニキア人の墓制は岩盤を掘削した横穴墓が特徴である。フェニキア人の植民地の一つであるカルタゴの近郊、ケルクアンには共同墓地が営まれているが、墓の規模や副葬品の内容に大きな格差はない。注目される墓に、地母神《ちぼしん》および軍神として崇められたタニト神像や動物・家屋などの図文が墓室内に彩色装飾され

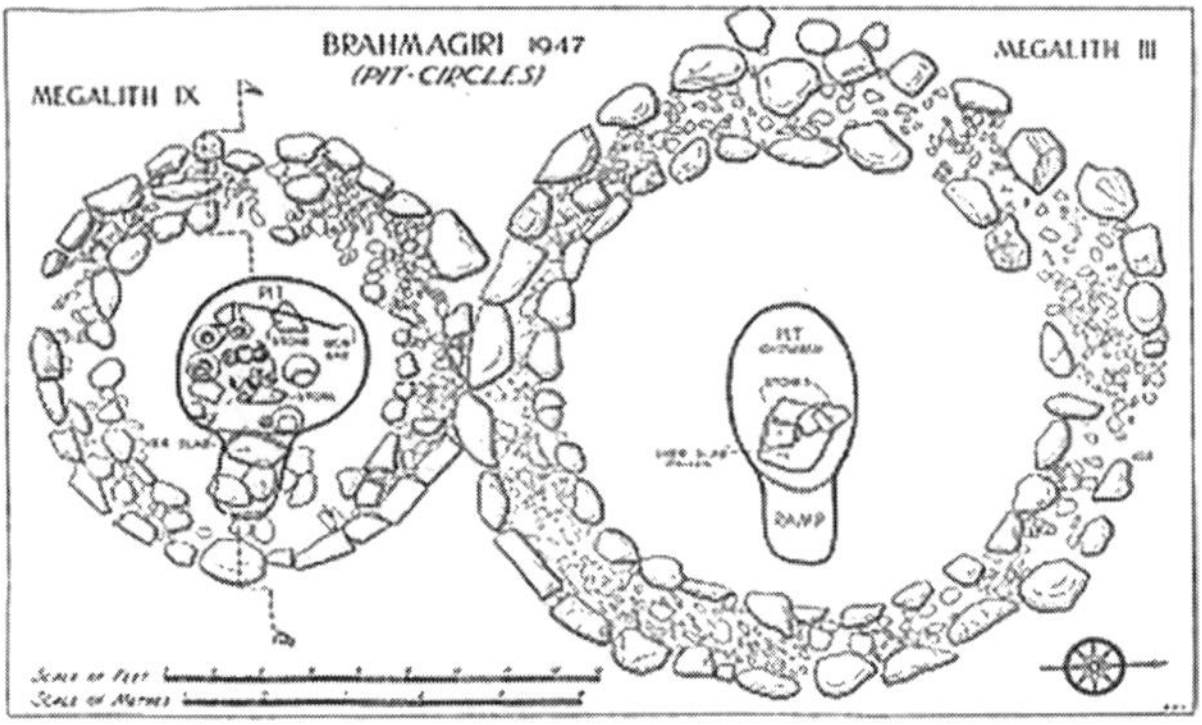

図35　インド、ブラフマギリの埋葬
周囲を列石で囲み、列石間は石で充填されている。インド洋交易でもたらされた品々が副葬されている（R.E.M.Wheeler, Brahmagiri and Chandravalli, 1947より）

た装飾墓があるが、傑出した内容ではない。

　もう一つ、海洋民の墓制を紹介したい。インド亜大陸の南端近くには、「海のシルクロード」の海上交易に基づく東西文化の交流を背景に、紀元前１０００年紀後半に築かれた先史時代の巨石墓群が知られている。その代表となる遺跡がブラフマギリで、土器や鉄器、馬具などの青銅器が副葬されていた（図35）。西暦１世紀後半にエジプトからインドに至る交易活動を記録した『エリュトゥラー海案内記』にも、ポドゥーケー（ポンディシェリー）の名で登場する港湾都市、アリカメドゥには交易活動を担ったローマ人たちが居留し、ローマだけでなくアフリカ、東南アジア、日本にまで広まるガラス玉（インド・パシフィックビーズ）が生産されている。これらの地域で、遠距離交易で入手し墓に副葬された品々が、一種の威信財であったことは疑いない。ところが、それらを携えて神に贈与する神聖王が選出されなかったことが原因となって、王墓の成立には至らなかったと考えられる。

ところが、パターンCの中には威信財を副葬し王墓成立まであと一歩のところまで迫った地域があった。黒海西岸のブルガリアで１９７２年に発見されたヴァルナ遺跡である。今から約６５００年前の共同墓地で、土器や石斧だけでなく金製円盤や腕輪など金製品が大量に出土したことで古くから注目され、とくにヴァルナ43号墓には金製品出土量の４分の１が集結した。遊牧民やアンデスの王墓の事例から、黄金製品の副葬は王墓の象徴と見られることが多く、かつてはヴァルナも「最古の王墓」と喧伝されていた。ところが、43号墓は共同墓地の中に埋没しており、最古の王墓と見ることはできないと私は考える。ただし、ヴァルナで芽生えた黄金文明の遺伝子は、バルカン半島に開花した謎の古代民族トラキア人の王墓に受け継がれたことは重要だ。たとえば、ブルガリア北東部のシュベシュタリには紀元前３世紀を中心としたトラキア時代の王墓と陪塚《ばいちょう》、装飾墓などが築かれており（図36）、近年、その最大の古墳から指

図36　ブルガリア、シュベシュタリのトラキア王族墓
騎馬民族国家であるトラキア王族の墓と推定される古墳の一つ

輪やブローチ、小型の女性胸像、馬の頭部に付ける装飾が出土した。

ヴァルナほどセンセーショナルではないにしても、王墓の成立には直接繋がらないが豪華な副葬品を具えた墓は、紀元前５０００年〜前３０００年紀の中国でも見られる。しかも、中国最初の王朝が登場した中原《ちゅうげん》ではなく、遠く離れた東北部の紅山《こうさん》文化と東南部の良渚《りょうしょ》文化の中から誕生した。たとえば、紅山文化では、遼寧省牛河梁《りょうねいしょうぎゅうかりょう》に埴輪のように壺を巡らせた円形と方形の墓が石を積んで築かれた。近接して「女神廟《じょしんびょう》」と呼ばれた神殿があり、仮面を着けた巨大な人形が祭られた。一方、良渚文化の方では、一辺80〜90メートル、高さ7メートルの方形に土を盛り上げ、石斧や玉製品を副葬した男性と装身具を着けた女性が葬られた墳丘墓がある。両文化ともに精巧に作られた玉器の大量副葬が特徴である。今に至るまで、中国で装身具や工芸品として愛好されている玉器製品のルーツである。また、紀元前1000年紀前半に築かれたアンデス最古の特定個人墓もパターンCの一類型だ。たとえば、巨大な祭祀センターであるクントゥル・ワシの中央神殿の床下には、金製の冠や耳飾り、海岸地帯との交流を示すウミギク貝製装飾品を副葬する神聖王の墓があった。

これらの事例は、第5章で述べた氷河期真っ只中に突然出現した、ロシア北部スンギルの豪華な副葬品を伴う墓と同じような突然変異と見られる。威信財が大量にあっても神聖視された個人に携えさせるような機構がなかったために、共同墓地を飛び出すことができなかったと考えられる。人類がいつから共同墓地を形成したのかは定かでないが、おそらく埋葬という行為を始めたネアンデルタール人以前に遡るだろう。しかし、共同墓地から飛び出して王墓という形に整うためには、第5章で確認したように神聖王権と威信財経済がなければならなかった。しかし、仮にその両者が具わっていたとしても、王墓の誕生に結び付かなかったのがパターンDである。それほど王墓を築く社会へ離陸するためには、いくつもの困難な条件をクリアしなければならなかった。

王墓を拒絶した社会

四つ目のパターンDの典型例が、四大文明の一つに数えられるインダスである。この地域では、集落から分かれた共同墓地が成立するところまでは行ったのだが、土器や玉類、装身具を持つ簡素な墓から先は成長が止まってしまった。インダスは不思議な文明で、モヘンジョ・ダロやハラッパは整然とした街路で区画され、下水・井戸・浴場などの衛生施設や学校、倉庫など厳格な計画に基づいた都市の整備が行われている。しかし、それを指揮したはずの王の存在を示すような王宮や王墓がない。もっとも、考古学で「ない」というのは「悪魔の証明」の一つで、明日にでも新発見されるかもしれない。事実、「神官王」と称された彫像がモヘンジョ・ダロで発見されパキスタン国立博物館に収蔵されている。高さ17・5センチと小さいが、頭飾りと腕輪をつけ、ひげを生やした堂々たる男性像である。三つ葉文様のマントを着ており、目には宝石が嵌《は》め込まれていた可能性がある。ところが、彼が神官あるいは王であった証拠は全くない。つまり「神官王」という名称は、考古学者によるニックネームに過ぎないとみる意見が大勢だ。紀元前1500年頃にインダス文明が終焉すると、埋葬法は土壙《どこう》墓《ぼ》から壺棺《つぼかん》葬へさらに簡素化の一途をたどる。この、メソポタミアやエジプトにも匹敵する都市文明は、とうとう最後まで王墓を築くことなく歴史の中に消えていった。

このように、記念建造物はあるけれども王墓の成立には至らなかった社会の例として挙げられるもう一つの例が、メソアメリカのテオティワカンだ。紀元前1世紀頃、メキシコ中央高原に巨大な計画都市・テオティワカンが誕生し、紀元後2〜3世紀に最盛期を迎えた。このメトロポリスの内部には、死者の大通りを中心に月のピラミッド、太陽のピラミッド、羽毛の蛇ピラミッドという三つの巨大モニュメントが建造された。碁盤の目状に区画された街区の中に建てられた集合住宅は、各部屋の内壁が色鮮やかな壁画で飾られた。さらに、テオティワカンは各地からやって来た人々の居住区が設定された国際都市でもあった。したがって、素朴に考えても、都市計画を貫徹するために号令をかけた指導者がいても不思議ではない。ところが、明確な王墓の特徴を持つ遺構は未発見だ。太陽のピラミッドと羽毛の蛇ピラミッドの地下には100メートルにも達する水平トンネルが掘られ、多くの品々が捧げられた遺構がある。これがピラミッドの付属施設であることは疑いなく、テオティワカンを統治した王の墓とみる説も有力だが、確定までには至っていない。

なお、現在まで王墓が確認されておらず、一方で王権に関わる儀礼が行われていたのがアフリカ南部のグレート・ジンバブエだ。花崗岩を積んだ巨大な石造建築物を中心とした遺跡で、王が政治を司る場所、住居、死せる王の霊の祭祀場と推定される地区から構成されている。グレート・ジンバブエには、西アジアやインド、中国からガラス製品、陶磁器、象牙製品などがもたらされ、金製品や青銅槍先などの威信財が出土した。グレート・ジンバブエは、神聖王権の展開と威信財経済の存在を裏付ける状況証拠はそろっているものの、王墓の存否についてはいまだ謎である。

独自に固有の王墓を創成した社会

第4・5章で提唱した仮説を裏付けるのが、最後のパターンEである。つまり、王墓の誕生には神聖王権と威信財経済が不可欠だという本書を貫くテーゼだ。このパターンEは、さらに他から影響を受けずに独自で固有の王墓を創成した地域と、文化交流を基盤として他地域から影響を受けて王墓を成立させた地域に分けられる。それぞれについて、各地の事例を引きながら少し詳しく紹介しよう。

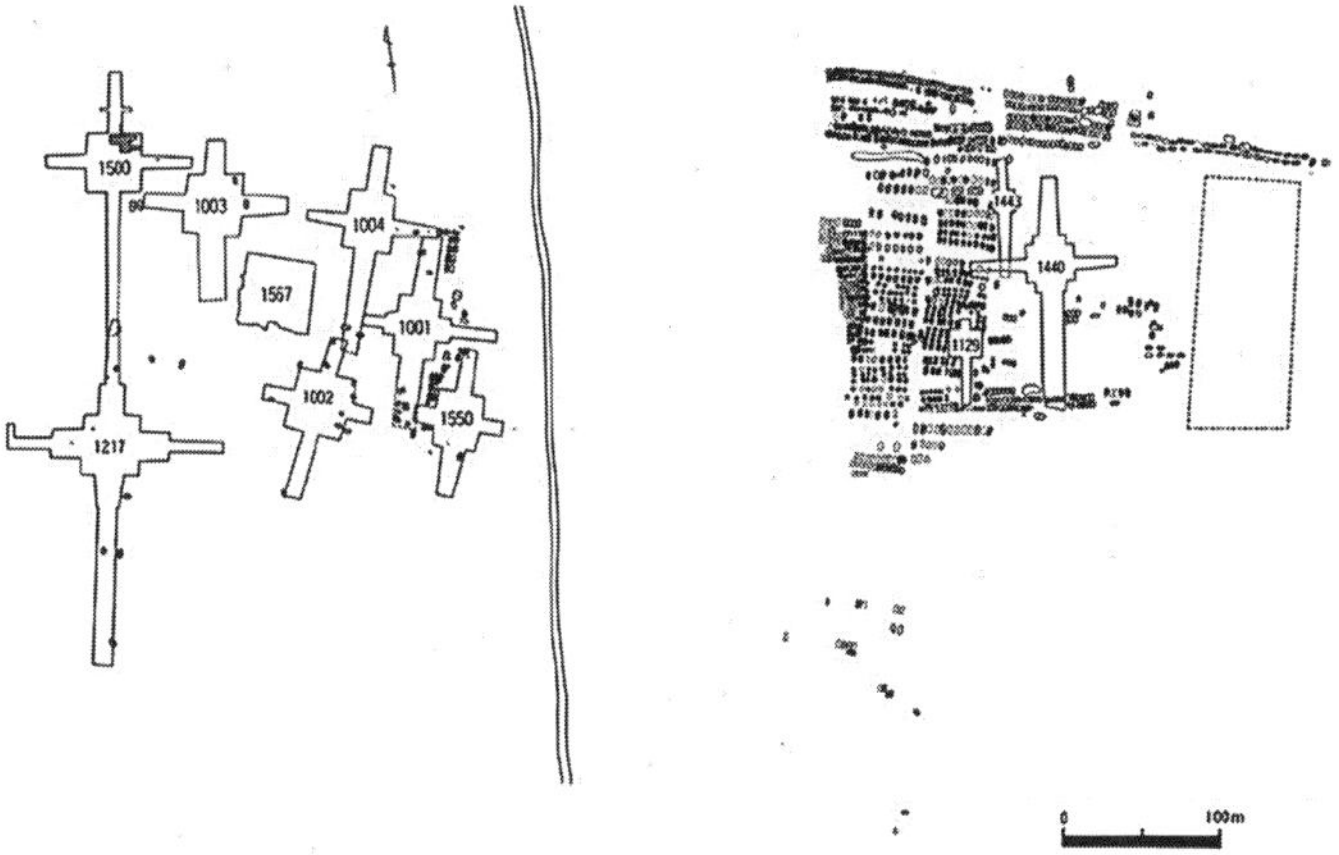

図37　中国、殷代の王陵区の平面図
東西2地区に分かれており、西地区には「亞」字形の王墓が集中し、東地区には数多くの殉葬・犠牲が捧げられた
（李済著、国分直一訳『安陽発掘』、1982年を一部改変）

まず、前者の代表として中国が挙げられる。紀元前３０００年紀の初め、黄河の治水に成功した伝説を持つ禹《う》王が夏王朝を建国した。中国の考古学者は、河南省偃師二里頭の２号宮殿を夏の時代の王を祀る廟と推定し、その背後で確認された大型墓こそが王墓だと提唱している。もし、それが事実なら、二里頭こそが中国最初の王墓として注目されるはずだが、残念ながら激しい盗掘にあっており詳しいことが分からない。夏王朝を滅ぼした商王朝には、河南省安陽殷墟《いんきょ》に王陵区（図37）が設けられていた。そのうち十数基が発掘され、

紀元前13〜前11世紀に築造された殷の王墓と考えられている。副葬品は、神々を祀るための多量の青銅器（彝器《いき》）が特徴で、人間や動物の犠牲・殉葬が伴う。また、墓室内の被葬者の腰にあたる位置には、死者を守護する犬を納めた腰坑《ようこう》が設けられた。このような殷の王墓と類似した墓は中国内で他にも見つかっており、河南省武官村《ぶかんそん》では首をはねられた生贄を含む推計1000人以上が捧げられている。このように、地下では大規模な人身供儀が確認される一方で、地上構造物は何も持たないのが中国の王墓の特徴である。死せる王に捧げた主要儀礼はほとんど地下で遂行され、墓室を埋め立てた後は王墓であることを示す標識すら残されない。ただ1基、殷墟の中の婦好墓《ふこうぼ》だけは、墓室の直上に廟と思われる礎石建物が建てられていた（図38）。殷の時代に後続した西周《せいしゅう》王朝の王墓はまだ見つかっていない。しかし、王に仕える諸侯の墓は確認されており、殷の王墓と共通した構造が西周時代以降にも引き継がれたことが分かる。

中国と同じく自力で王墓を誕生させた文明には、ほかにメソポタミアやアンデスが挙げられる。大英博物館の至宝とされる豪華絢爛なウルの王墓は、石灰岩あるいは日乾煉瓦《ひぼしれんが》で墓室を築き、ラピスラズリや金銀器など遠距離交易で入手したものを含む豊富な副葬品に加え、多数の殉死者を納めた「死壙《しこう》」を伴うのが特徴であった。今まで

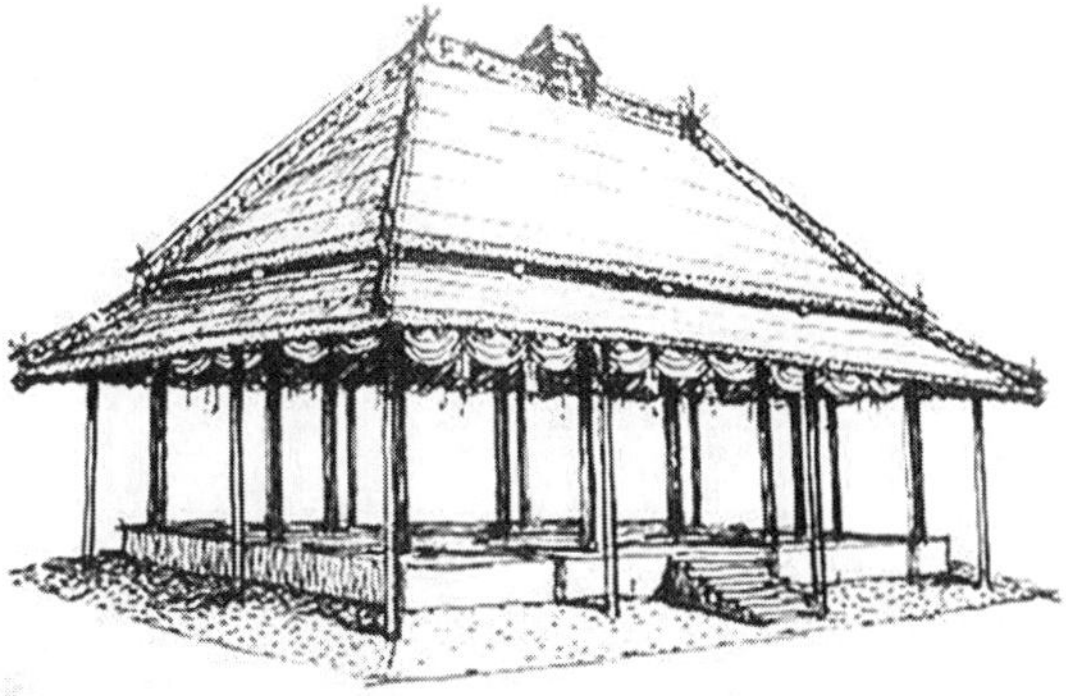

図38　中国、婦好墓上面に立てられた祠堂の復元
婦好墓には墓の上に廟が建てられたが、大半の殷王墓に地上の建物は確認されていない（楊鴻勛「戦国中山王陵及兆域図研究」『考古学報』1980−1、1980年より）

16基の王墓が確認されているが、その後はウル第3王朝になって3人の王に捧げられた廟建築の登場までいったん断絶する。

アンデス文明は、南アメリカのペルーの太平洋沿岸地帯、およびボリビアへつながるアンデス中央高地に展開したが、1532年にフランシスコ・ピサロ率いるスペインのコンキスタドールによって征服されて文明自体が終焉した。このうち、西暦3世紀にはペルー北部のランバイエケの谷にシパン王墓（図39）が築造され、黄金やトゥンバガ（金と銅の合金）で製作された、当時の工芸技術の高さをいかんなく示す豪華な副葬品と共に6人の殉葬・犠牲が確認されている。

以上は、大文明の中枢で王墓が誕生した事

図39　ペルー、シパン王墓
王の遺骸を殉葬者が取り囲む。貴金属や合金で製作された数多くの威信財が副葬されている

例である。この一方で、文明から遠く離れた地域でも固有の王墓が成立した例について見てみたい。それが、日本列島を含む極東アジアとヨーロッパ北・中部、アフリカ大陸中央のナイジェリアである。

まず、極東アジアへのファースト・インパクトは、紀元前１０８年に現在の北朝鮮の平壌付近に前漢の武帝が設定した楽《らく》浪郡《ろうぐん》である。当地に居住した官人たちは、角材で組まれ鉄製品や漆器を納めた木槨《もっかく》墓《ぼ》やレンガで構築した塼室墓《せんしつぼ》を造営したが、それらは当時の朝鮮半島にはなかった墓制だった。第5章で確認したように、楽浪郡に集積した中国文物は、三国時代の高句麗、百済、新羅、加耶《かや》そして弥生

図40　中国、将軍塚古墳全景
切石を階段状に積み上げ、周囲に板石を立てかけた高句麗のピラミッド。中腹に墓室への入り口がある

時代後半以後の日本列島における威信財経済の誕生にも大きな刺激を与えている。

まず、高句麗の王墓の代表例は吉林省《きつりんしょう》集安《しゅうあん》に築かれた将軍塚古墳（図40）で、被葬者は広開土王《こうかいどおう》（好太王《こうたいおう》）と考えられている。4世紀の半島情勢を克明に物語る「広開土王（好太王）碑」文として教科書にも登場する有名な英雄だ。一辺40メートル、高さ12・4メートル、中腹に横穴式石室が開口する階段ピラミッド形の古墳である。韓国で1971年に発見された百済の武寧王陵は未盗掘であり、武寧王と中国南朝の強い結びつきを示す華麗な遺物3000点近くが出土した。新羅も5世紀になると、地上に木を組んだ

図41　韓国、天馬塚全景
慶州の大陵苑にある積石木槨墳である。副葬品から遊牧騎馬民族との深い関連性がうかがえる

墓室（木槨）を築き、その上部を石で厚く覆った積石《つみいし》木槨墳が登場した（図41）。副葬品は、金銀製の冠、帯金具、飾履《しょくり》などの華麗な装身具が特徴で、「黄金の国、新羅」の面目躍如である。ところが、積石木槨墳は6世紀中葉に衰退し横穴式石室に置き換わる。加耶の王墓は地下に木槨を築いて墓室とし、多量の鉄製武器・農工具などの副葬品を特徴とする。日本列島でも、九州北部で弥生時代前期末に朝鮮半島からもたらされた武器形青銅器や玉類を副葬した特定個人墓が登場し、弥生時代後期には威信財経済が西日本に普及した。3世紀中頃には奈良盆地東南部に前方後円墳が発生し、5世紀に極大

化する。以上見てきたように、楽浪を出発点としながらも、国ごとに異なる多彩な王墓が展開したのが極東アジアの特徴だ。

ヨーロッパでは、紀元前1000年紀の中頃、ドイツ南部からフランス東南部にかけての地域に王墓が誕生する。最大のものは、径約100メートル、高さ16メートルのマグダレネンブルク古墳で、中心部の周りを127基の殉葬および犠牲が取り巻いている。この古墳は大盗掘のため副葬品はほとんど残っておらず、見つかったのは、馬が引く戦車でやって来たガリア（ケルト人）の王および貴族を象徴する戦車の断片だけだった。この王墓に近接し、自然地形を要害とした城塞都市《じょうさいとし》（オッピドゥム）も営まれている。紀元前7世紀以降、社会的緊張の高まりを背景に、戦車を自在に操る戦士階層が台頭し城塞都市と王墓がセットとなって各地に築かれた（図42）。一方、戦車ではなく船を墓室とする風変わりな王や王族の墓が展開するのが、イギリスやスカンジナビア諸国である。西暦7世紀に築かれたブリテン島南東部のサットン・フーの1号墓では、長さ27メートル、幅4・3メートル、高さ1・5メートルのゴンドラ形の船に、王の遺骸がレガリア（王権などを象徴する物品）と共に埋葬されている（図43）。8世紀から12世紀にかけて、ヨーロッパ各地との交易や侵略を繰り返したヴァイキン

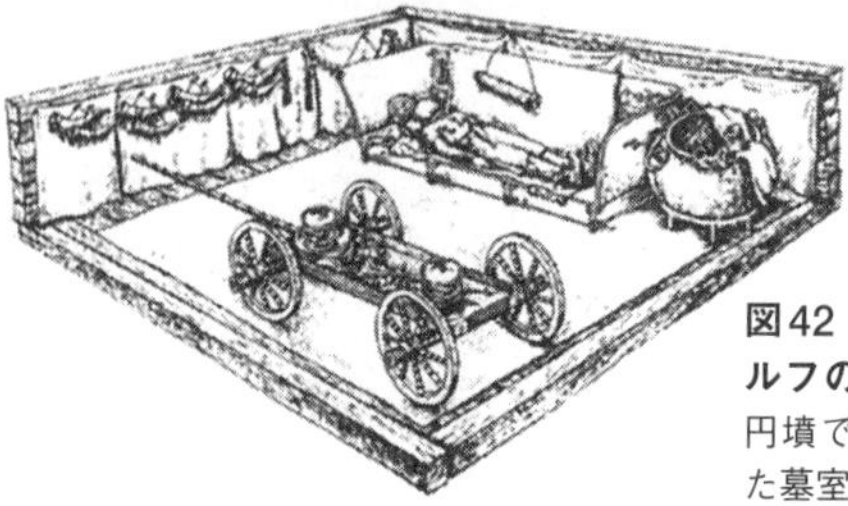

図42　ドイツ、ホッホドルフの墳丘墓と埋葬施設
円墳で、木材を組み合わせた墓室（木槨）内には四輪車が副葬されていた

図43　イギリス、サットン・フー墓地
ゴンドラ形の船を用いた墓室を埋葬施設とする古墳が、累々と築かれている

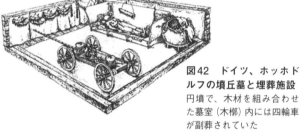

グも、船を墓室に採用する慣習があった。

日本ではあまり知られていないが、アフリカのナイジェリアにも王墓が築かれた。9～10世紀に発展した都市国家に伴うイボ・ウクウである（図44）。１９５９年の発見当初は墓ではなく埋納遺跡とみられていた。副葬品にはガラス玉や王冠、装飾板、各種青銅製品が見られ、サハラ砂漠を横断するルート上にあるマリのタドメッカを経由

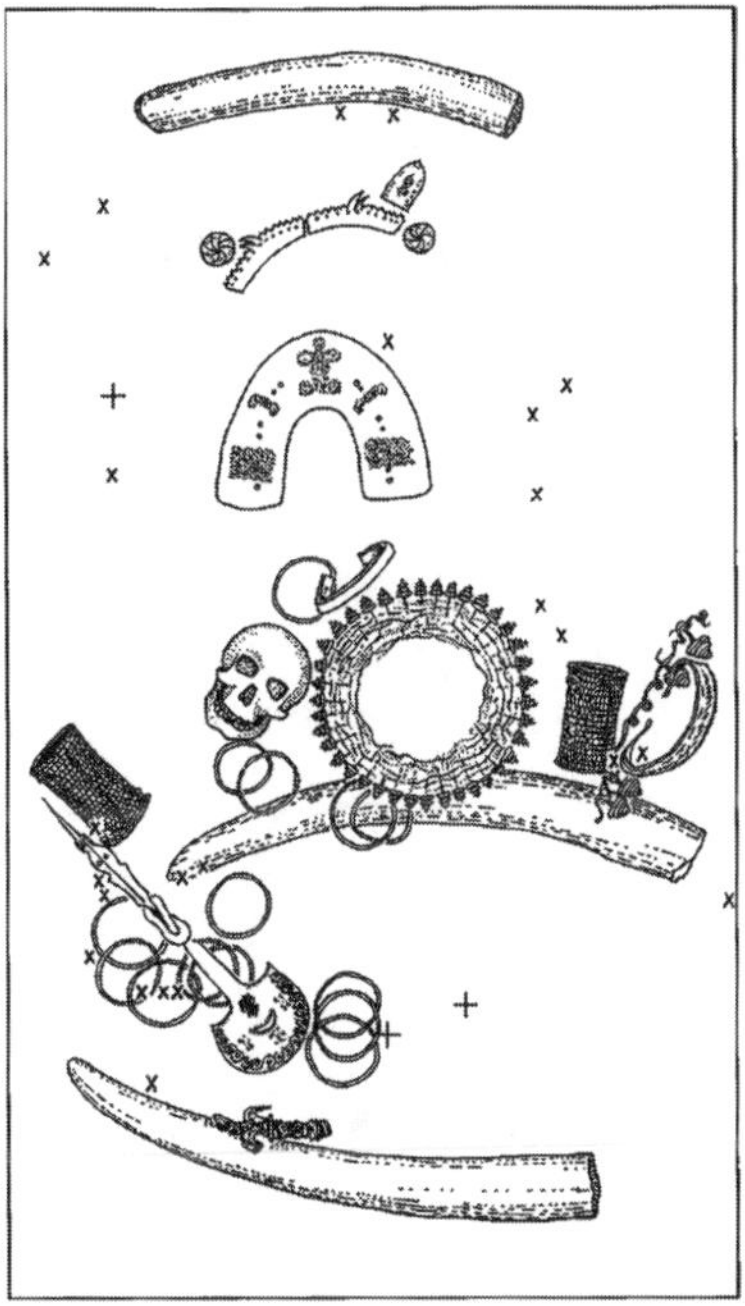

図44　ナイジェリア、イボ・ウクウ王墓副葬品配置図
サハラ砂漠を横断する隊商交易で入手した王冠やガラス玉が副葬されている
（G．コナー著、近藤義郎訳『熱帯アフリカの都市化と国家形成』、1993年より）

して入手した威信財と考えられる。アフリカには神聖王権の伝統があったから、隊商交易を基盤とした威信財経済とセットになって王墓が誕生したと考えられる。その後も、王の遺骸を特別に扱う慣習はこの地域で継続し、12世紀に成立したベニン王国では、王は死後に解体され、宮殿内の墓地に付属した聖所や市外の塚に埋葬された。

文明の交流によって王墓が成立した社会

以上に挙げた事例とは対照的に、近隣文明との交流によって王墓を生み出した地域がある。その代表例が、意外なことに最古の文明として知られるエジプトである。紀元前3100年頃にナルメル王がエジプトを統一して第1王朝を創始すると、ナイル東岸にある首都カイロ付近にメンフィスという王都が建てられた。だが、現在では都市開発が進みその実態はよく分からない。しかし、当時の王家の墓地であるサッカラは発掘調査されて詳細な内容が判明している。サッカラは第3王朝の階段ピラミッドで有名だが、初期王朝期（第1・2王朝）の墓地としても重要な遺跡だ（図45）。ピラミッド以前のエジプトの大型墓は「マスタバ」と呼ばれ、アラビア語でベンチの意味である。サッカラのマスタバの特徴は、上部が平らで外壁が縦方向の凹凸壁で飾られ、

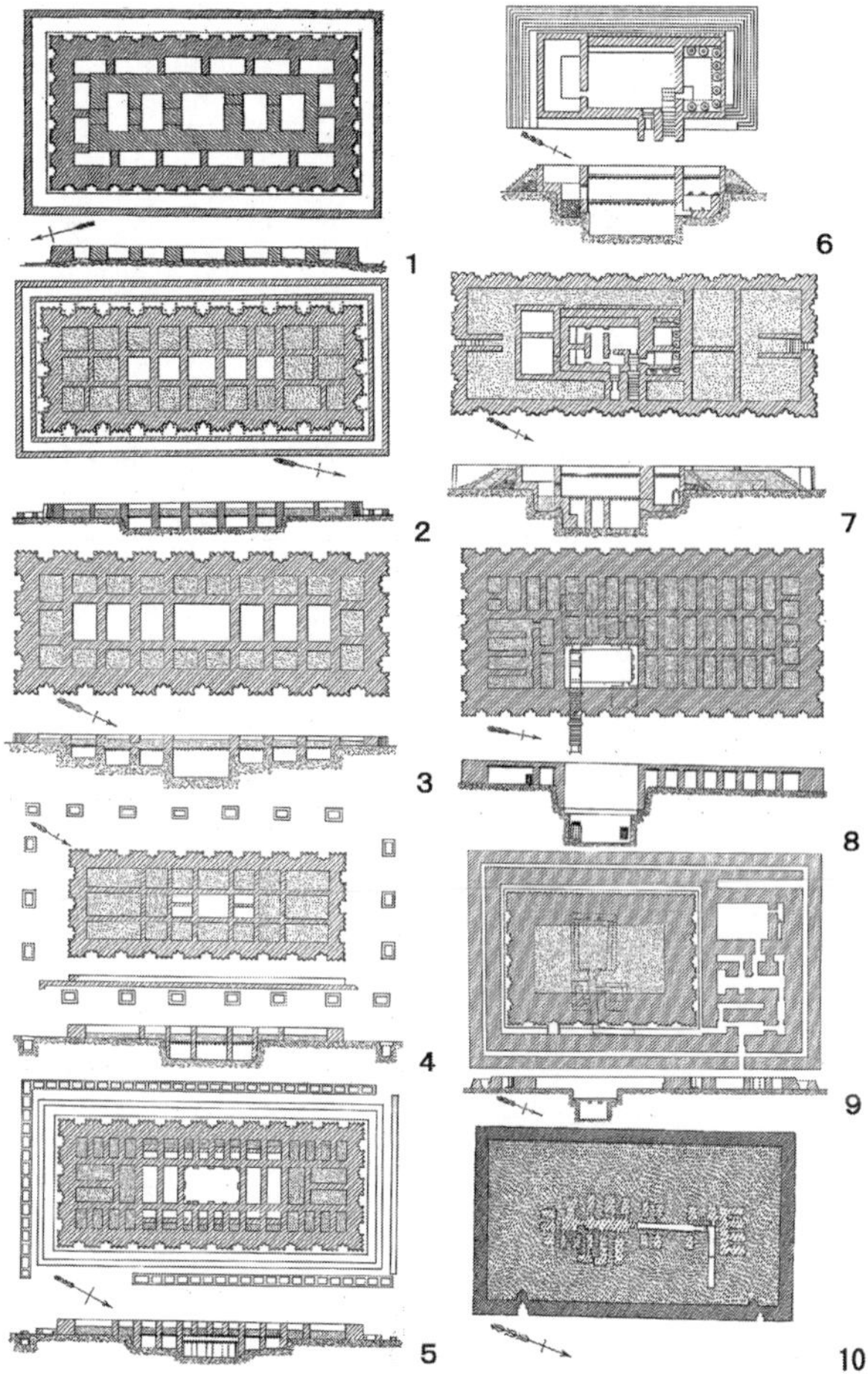

図45　エジプト、宮殿外壁型マスタバの例
（1:ナカダ　2〜10：サッカラ）

1:ニトテップ墓　2:3357号墓　3:3471号墓　4:3503号墓　5:3504号墓
6·7:3038号墓　8:3035号墓　9:3505号墓　10:2302号墓

（W.B.Emery, *Archaic Egypt*, 1961を再構成）

メソポタミアの神殿と外観がそっくりなことである。このため「宮殿《きゅうでん》外壁《がいへき》型マスタバ」と呼ばれている。内部はいくつもの小部屋に仕切られており、中央にひときわ深い王の墓室を築く。小部屋は副葬品や人物や動物の犠牲を納めた空間で、マスタバの輪郭に沿った周壁の外側に殉葬墓が配列される。このようにエジプト最初の王墓が、メソポタミア建築の外観を採用した理由としては、王朝成立期にメソポタミア文明と密接な交流関係があったことを想定するのが通説だ。

ところが、エジプトで興味深い点は、まったく別形態の王墓が、ほぼ同時期に登場していたことである。その場所は、サッカラからナイル河を約４００キロ遡ったオシリス神信仰の聖地、アビュドスだ（図46）。この墓地は19世紀末から20世紀初めにかけてエジプト考古学者のW．M．F．ペトリーが発掘調査を行い、１９７０年代以降ドイツの調査隊が再発掘し、詳細な王家の墓地の内容が明らかになった。ペトリーの時点では地下の墓室しか分からなかったが、ドイツ隊の発掘調査によって、蒲鉾《かまぼこ》形で短辺側に王の名を記した墓碑を立てた地上構造物が推定復元された。こちらは、サッカラと違いエジプト固有の形である（図47）。

さて、どちらが真のエジプト最初の王墓なのだろうか？　サッカラで宮殿外壁型マ

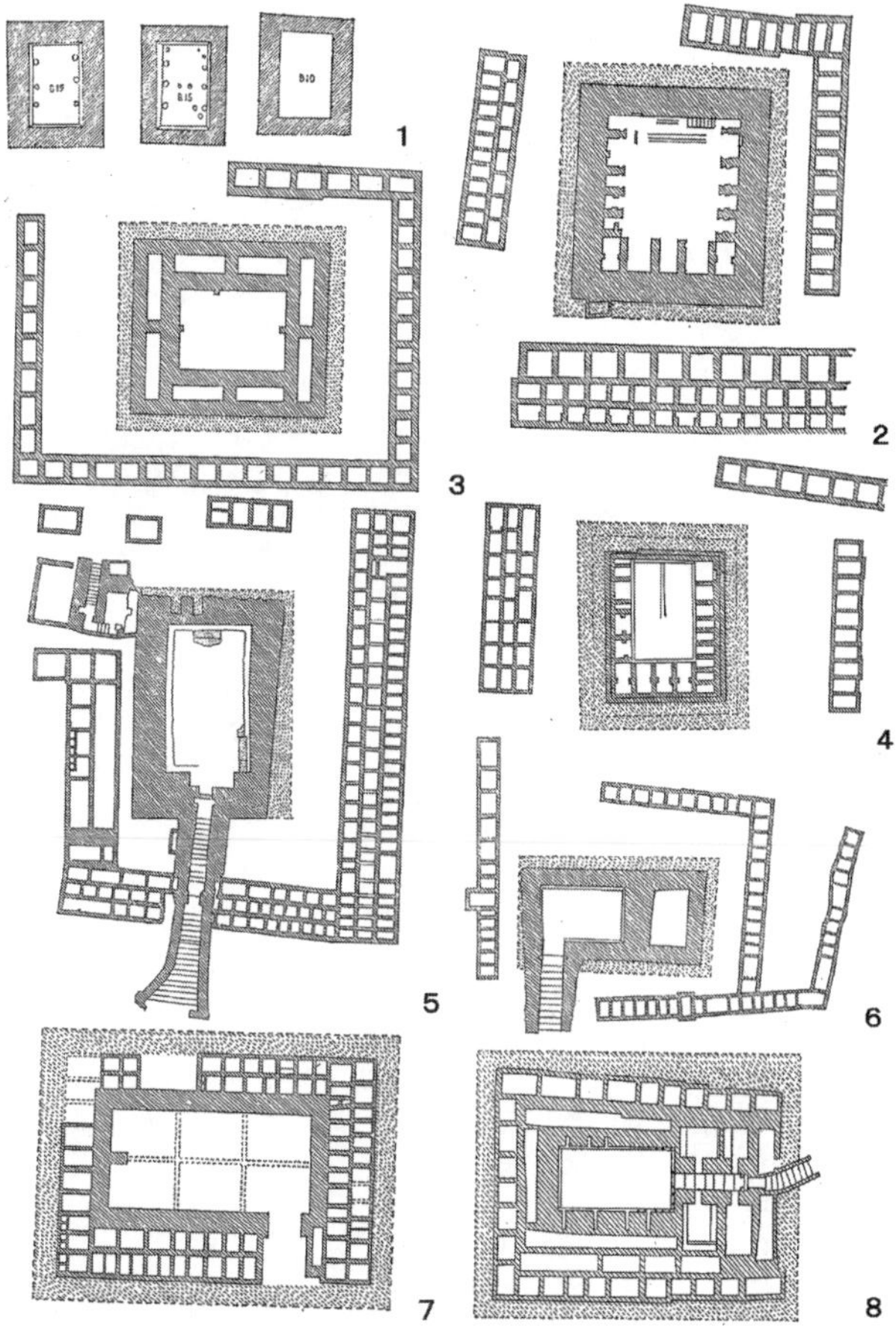

図46　エジプト、アビュドスの王墓の墓室

1: B区(ホル・アハ)　2:ジェル王墓　3:メーニス女王墓　4:ウァディ王墓
5:ウディム王墓　6:エネジブ王墓　7:セメルケト王墓　8:カァ王墓
(W.B.Emery, *Archaic Egypt*, 1961を再構成)

スタバが発掘された当初は、王都メンフィスに近いためこちらが王墓と考えられた。アビュドスは、オシリス神を祭る総本山だったから、死してオシリス神となったファラオの菩提を弔う墓（空墓）が築かれたのではないかと推測された。日本の例にたとえると、アビュドスは高野山のような霊域だったのでは、という説である。しかし、近年ではアビュドスこそ王墓で、サッカラは貴族墓とみる主張も強くなっている。ただ、どちらが本命でどちらが空墓だったとしても、それが王墓の文明の開始を告げる号砲だったことに違いはない。

　さらに、強力な文明の周辺に位置する社会では、中心からの影響を受けて王墓が登場したケースがある。たとえば、エジプトの南に隣接するヌビア（クシュ）は、前8世

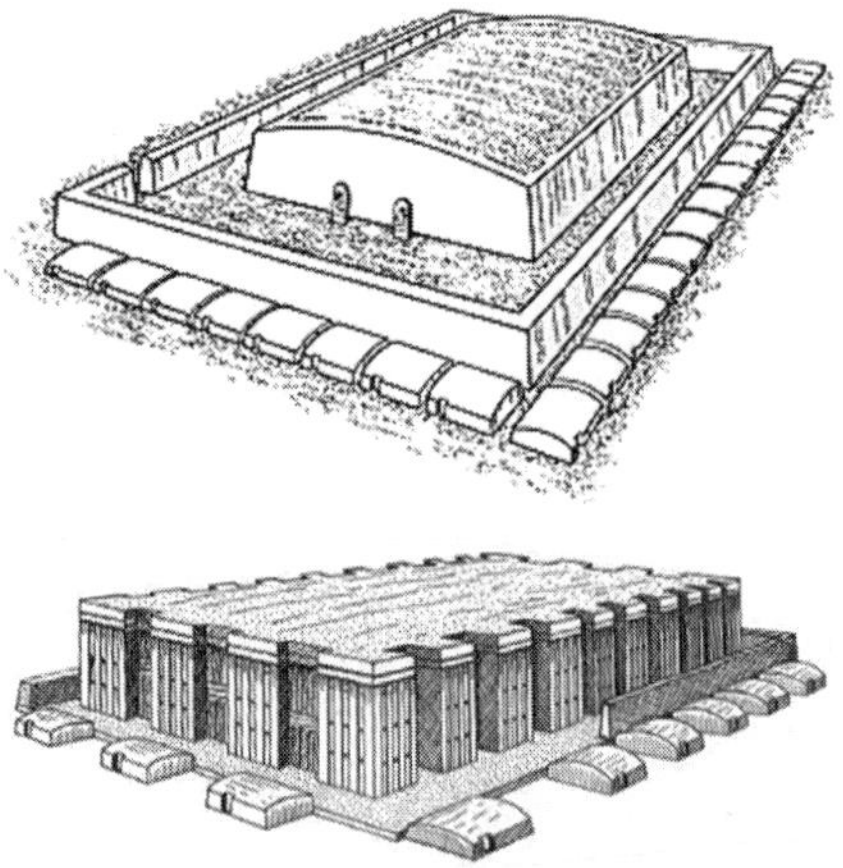

図47　アビュドスとサッカラのマスタバの違い（上：アビュドス　下：サッカラ）
いずれも第1王朝のメルネイト王妃墓に当てられるが、地上構造物の形は全く異なる

紀（第25王朝）にエジプト全土を支配下におき、王都であるナパタやメロエには祠堂が付属する急傾斜のピラミッドが多数建造された。ところが、その当時、エジプト本体ではすでにピラミッドは消滅していた。つまり、ピラミッドという王墓の形を受け継ぐことでヌビアはエジプト文明の正統な継承者であることを主張し、高い門を祠堂の前面に建てるようにアレンジが加えられた。

メソポタミア文明とインダス文明の密接な交流の渦中に位置するペルシャ湾岸や島々では、紀元前3000年紀以降に都市国家が展開し、砂漠の広がる過酷な自然環境の中に7万5000基もの古墳が築かれた。その代表がかつてバーレーンに存在したディルムン王国で、中心となる王家の墓地はバーレーン島中部のアアリ古墳群だ。しかし、ペルシャ湾やオマーン湾の北岸に当たるイラン南東部やパキスタン（バルチスターン・シスターン）には目立った王墓がなく、ペルシャ湾岸の古墳文化は今のところアラビア側に限定されている。

一方、度重なる大文明からの影響のため、王墓が誕生しても中断と再生を繰り返した地域として、ギリシャとトルコが挙げられる。まず、ギリシャから見てみよう。古代ギリシャの場合、ポリスに居住した市民によるデモクラシーのイメージが強く、王

図48　ギリシャ、ミケーネのアトレウスの宝庫
石を精巧に積み上げて築かれた横穴式の大型墓である

墓や貴族墓についてはあまりイメージがない。しかし、ギリシャ最古のエーゲ文明では、クレタ島のクノッソスの王宮から離れた場所に王家の墓地が設定され、本土のミケーネにもH．シュリーマンが豪華な副葬品（アガメムノンのマスクなど）を発見した竪穴式の王墓が築かれている。さらに、「アトレウスの宝庫」と彼が誤って名付けた横穴式の墓（トロス墓）も築かれている（図48）。その後、いったん王墓は消滅し全土に火葬が普及するが、アテネやスパルタを中心とする都市国家が勃興した古典期になると、再び神殿形墓が登場する。また、ヘレニズム期のギリシャ植民活動の拡大と共に神殿形墓は地中海沿岸の各地に影響を及ぼし、ギリシャ風の建築意匠が王墓として採用された。たとえば、アフリカのマウレタニア王国では、イオニア式またはドーリア式の装飾柱で飾られた石造りの王墓が、アルジェリア東北部に築かれた。

トルコにも多彩な王墓があり、ギリシャ同様に一貫した成長過程がうかがえない点は、ヨーロッパとアジアの文明の十字路だった地域に相応《ふさわ》しい。鉄を生み出したヒッタイトはハットゥシャ（ボアズキョイ）に都を建設し、紀元前４０００年紀前半には、アラジャ・ホユックに最初の王墓が築かれた。メソポタミアのウルの王墓が営まれたのとほぼ同時期である。武器やスタンダード（旗の頂部に付けるシンボルのような標識）などを副葬し、繰り返し犠牲獣が捧げられた（図49）。紀元前８世紀のフリュギア時代になると、直径約３００メートル、高さ53メートルの巨大な円墳であるミダス王墓が築造され、副葬された家具の遺存状態も良好である。世界で最初に貨幣を鋳造したことで教科書にも登場するリディアにも王墓が築かれた。その首都であるサルディス近郊、ビン・テペレル（千の丘）には巨大な古墳からなる王家の墓地が営まれている。トルコ東部のネムルト山頂には、紀元前１世紀のヘレニズム期に活躍したコンマゲネの王、アンティオコス１世の巨大墳墓があると推定されている。王の座像やギリシャやペル

図49　トルコ、アラジャ・ホユックの王墓
鉄を生み出した帝国、ヒッタイトの王墓。金属製品や犠牲獣が供えられた

図50　トルコ、ネムルト・ダー全景
ネムルト山頂に築かれた巨大な墳丘墓。前面に彫像が立てられたが、頭部が崩落している

シャの神話にちなんだ巨大神像が立ち並んでいるが、現在では首が崩落したものが多い（図50）。発掘調査が行われておらず副葬品などの詳細は不明だが、この王墓もヘレニズムに刺激された東西文化交流の産物であることは疑いないだろう。

自己犠牲を促す大災害の記憶

さて、ここまで見てきたような5パターン、四つの社会類型への整理を踏まえ、ようやく私たちは「王墓はなぜ時代・地域を超えて築かれたのか？」という問いと向き合うことができる。つまり、王墓はさまざまな社会に普遍的なものではなく、全ての時代・地域に築かれてはいない。その時代や地域ごとに、それぞれ固有の理由があって王墓は築かれたり築かれなかったりする。だから、仮にある社会で王のための造墓が合理的でないと判断されれば、採用しないケースも数多くあったに違いない。そのような、王墓の未達、拒絶、誕生の累積した結果を、私たちは人類史として見ているのではなかろうか。だから、王墓の誕生した社会にだけスポットを当て、それを人類史における画期的な「進化」として過大な評価を与えることは、逆に目を曇らせると私は考える。

そうだとしても、王のための造墓に舵を切った社会で、築造の代償として過酷な労働や人身供犠などに人々が自発的に身を投じた背景には、自己犠牲の精神のようなものが共有されていたはずだ。そうでなければ、パターンCのような黄金製品や玉製品を副葬した共同墓地のように、単発的な特定個人墓の造営に止まり長続きしなかったと思われる。死と引き換えに神聖性を獲得する王のための造墓に、人々が自らを犠牲にして捧げた原動力とは何だったのだろうか？　そこで、筆者が注目したいのが大災害の記憶である。

この大災害の記憶の役割にはじめて気づいたのも、比較研究の方法で「王殺し」の人類学を打ち立てたJ・フレイザーだった。彼が着目したのは「大洪水伝説」だ。大洪水とは、文明を破壊するために神々が起こした神話や伝説上の自然災害である。世界各地から報告されており、現在ではそれぞれが実際の洪水災害をどこまで反映しているか検討することは困難だ。とくに新大陸の場合は、地元の伝説を記録した宣教師がキリスト教特有の訓戒や勧善を潜ませた可能性も排除できない。大洪水伝説はインド、ヨーロッパ、アジア、新大陸など洋の東西を問わず広がり、その内容や構成もほぼ共通するが、地図上に分布を落としてみると王墓が誕生した社会と奇妙に符合する。

その一例として、メソポタミアの古代都市ウルの発掘調査にまつわる、きわめて劇的な「大洪水」の発見エピソードに注目してみよう。

もう土器の破片もなく、灰もなかった。あるのは水に沈積された清らかな泥だけ。そして、竪穴の底にいるアラビア人の人夫は、もう処女土《しょじょつち》（人手のふれていない土）に届きました、と私に呼びかけた。これ以上行ってもなにも見つかりません、よそに行ったほうがいいです、と。

私は降りていった。状況をしらべて、人夫のいうとおりだと認めた。だが、つぎに水準を測ってみると、その「処女土」というのが、私の予想した深さにはとても足りないのを発見した。（中略）私は、持場にかえって掘りつづけるように、人夫にいった。まったくしぶしぶもので、彼はそうした。また、掘り返してもきれいな土ばかり、人間の行為のしるしはなにもでてこない……彼はそうやって、まるまる八フィートも掘っていったが、突然に、燧石（フリント）の道具が、そして彩色されたアル・ウバイド式土器の破片が現れた。私はまた竪穴に降り立って、その側面を調べた。そして、ノートをとり終えたときには、これらすべてがなにを意味するのか、もうはっきり確信をもっていた。（中略）妻がやってきて、そこを眺め、同じ質問をうけた。彼女はわきを向いて、ふっと口にした……「ええ、もちろんあの『大洪水』ですわ。」

L．ウーリー著、瀬田貞二・大塚勇三訳『ウル』より

ウーリーの妻が口にした「あの大洪水」とは、旧約聖書のノアの箱舟物語なのかギルガメシュ叙事詩の中の説話を指すのか、今となっては確かめるすべがない。前者はよく知られているので、シュメール人の伝説として語られた後者の内容について紹介したい。永遠の生命を求めて旅に出たギルガメシュは、永遠の命を持つウトナピシュティムと出会い、不死となった理由を尋ねた。彼はギルガメシュに、神から大洪水を起こして全ての生命を破壊する計画が告げられたことを明かす。ウトナピシュティムは、巨大な船を建造し、家族とあらゆる生物種を乗せて難を逃れた。その後、神は自らの力が引き起こした大惨事を後悔し、その代償として彼に不死を与えたという。これが世界最古の物語であるギルガメシュ叙事詩の中に登場する大洪水伝説のあらましだ。

ウルで発見されたような考古学的証拠に基づいて、実際に起こったユーフラテス河の氾濫がシュメールのギルガメシュ叙事詩に採録され、さらに旧約聖書創世記の物語

となったとL・ウーリーやM・E・L・マロワンは考える。ところで、当地の王朝の系譜が整理された「シュメール王名表」によると、大洪水が起こったとされる時期は、最初の王権が下る前の初期王朝Ⅰ期とⅡ期の間である。Ⅰ期は王の治世が異常に長く事実とは思われないため、後世に付け加えられた公算が大きい。つまり、シュメールでは、神が引き起こした人間に対する罰を逃れた特定個人が最初の王（Ⅱ期）になった。

一方、大洪水が自然災害なら、人為災害ともいうべき戦争も共通した機能を持つと考えられる。たとえば、吟遊詩人が伝えるトロイア戦争の物語は、地上に増えすぎた人口を減らすために全知全能の神、ゼウスが企てた大災害とされている。そこで英雄として活躍したのがアキレウスやオデュッセウスだった。ギルガメシュ叙事詩のウトナピシュティムや旧約聖書のノア、吟遊詩人が語るアキレウスのような境界的な人物は神聖王そのものである。森の王伝説や箸墓伝説と同じく、それらの語られた大災害や戦争が歴史的事実であった証拠はない。逆に、そのほとんどが虚構だった可能性が高い。しかし、今に至るまでその名が伝わっているのは、人間は生まれながらにして神に負い目を持っているとする原罪意識に根差しているためだと私は考える。

人類の歴史では、天候不順に伴う飢饉や地震などの激甚災害、異民族の侵入や隣国との戦争など、さまざまな危機が襲いかかるのが常である。最後の手段として神に頼らざるを得ない状況に追い込まれた人々が、神への代償として自己犠牲を伴う王墓の築造に踏み切ったのではなかろうか。自然的なものであれ人為的なものであれ、災害は人類に普遍的に降りかかるものであり、逃れ続けることはできない。社会の危機が深刻であればあるほど、往々にして人間の原罪意識は顕在化する。そこで、第4・5章で確認したように社会の中から神聖王を選出し、王墓を舞台に威信財もろとも神に贈与することで、神へ持続可能な未来を請《こ》い願ったのだ。人々を王墓の築造に駆り立てたのは、犠牲的な労働奉仕が一種の免罪符になると考えたからに違いない。そして、この観念が共有されたからこそ、時代や地域を超えて人類社会に王墓は誕生したのである。

第７章　王墓はなぜ衰退したのか？

葬送複合体の成立と王墓の黄昏

ひとたび王墓が誕生すると、第4章でも述べたように、人々が競い合う中で墓の規模や副葬品の内容はどんどんエスカレートするようになった。その頂点が、死後も王を永代に祀り続ける葬祭殿と一体化し、全体を周壁で囲んだ葬送複合体の成立である。その結果、王墓の主人公である王の社会的な性格も徐々に変質する。皮肉にもそれは、王墓の落日を加速することになった。頂点である葬送複合体が成立すると、王墓の衰退が始まる。このパラドックスの謎を解明するのが本章の目的である。まず、エジプトと中国で王墓が極大化し葬送複合体が完成した後、衰退が始まるプロセスについて振り返ってみよう。

紀元前2600年頃、第3王朝のジョセル王はエジプト最初のピラミッドを建造した(図51)。それは、私たちがイメージするようなきれいな正四角錐ではなく、階段を積み上げたような「階段ピラミッド」だった。驚くべきことに、このピラミッドの最初の形は1辺63メートル、高さ10メートルの巨大なマスタバである。これが5度の改造を経て垂直に積み上がり、最終的には東西125メートル、南北109メートル、

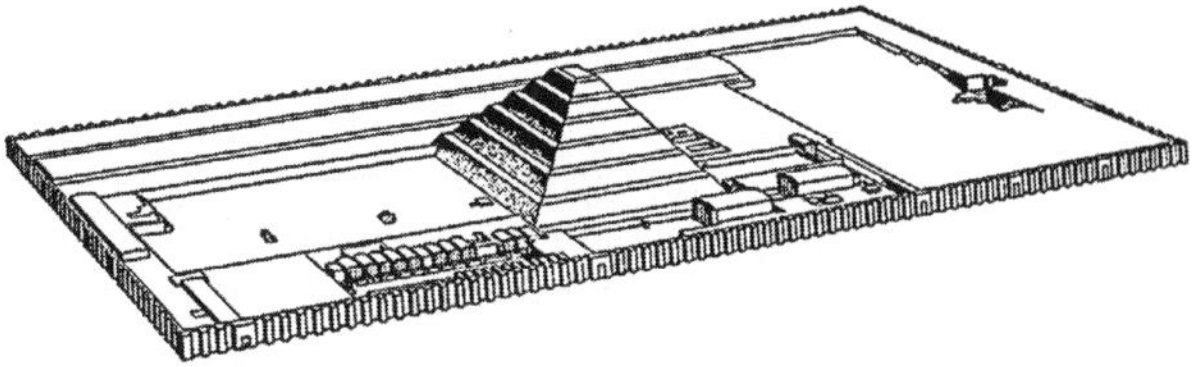

図51　エジプト、ジョセル王のピラミッド複合体
6段の階段ピラミッドを中心に、周囲に神殿やマスタバを配置し、長方形の周壁で囲んでいる

高さ60メートルにまで拡張された。階段ピラミッドの周りに長方形の周壁、殉葬者のためのマスタバ、儀礼用の神殿などを伴った、エジプトではじめての葬送複合体である。

さて、この革新的な建築様式は、なぜ登場したのだろうか？　エジプトの伝説によれば、後に建築の神としてあがめられるイムホテプの功績とされるが、おそらく天才が一人で成し遂げたものではないだろう。その原因として考えられるのが、葬送複合体の完成と同時に強まってきたファラオの神格化という流れである。複合体の一角を構成する葬祭殿の中には、あたかも神殿の中で崇拝される神像のように、ジョセル王の彫像が飾られた。彼は、先代の王たちが採用したマスタバではなく、神である自分に相応しいモニュメントの形を希求し、イムホテプに命じて満足いくまで試行錯誤を繰り返したのではなかろうか。しかし、この唯一無二の建築物はかなりの困難を伴うものだったらしく、未完成の1基を除き他には知られていない。彼の理想を実現するための技術が、当時まだ十分に整っていなかったのだ。

その後、先述したように真正ピラミッドを完成させるために第3〜4王朝のファラオたちが挑戦と失敗を繰り返した（図52）。その理想を具現化したものが、ギザのクフ、カフラー、メンカウラーという3人のファラオのピラミッド複合体で、現在はエジプトの国立公園となっている。三大ピラミッドの周囲にはマスタバが碁盤の目のように配置された。初期王朝期までは、王も貴族も墓にはマスタバを採用していたが、古王国期以降になるとファラオはピラミッド、貴族はマスタバと外見が差別化された。この葬送複合体の設計思想の背景に、都市計画ならぬ綿密な墓地計画があったことは疑問の余地がないだろう。さらに、このような大規模な墓地を維持管理するための造営キャンプ（ピラミッド都市デル・エル・メディーナ）も設けられた。言うまでもなくピラミッドはエジプト王墓の最高峰であり、その背景にはジョセル王が導入した、ファラオは死後に地上の民へ豊穣と幸福をもたらす神になるという観念があった。神だから、死後に眠る墓の形も他の人間と同じというわけにはいかない。さらに、この神格化が強まると、ファラオは大地を治める全能の神そのものだという王権観が成立するよう

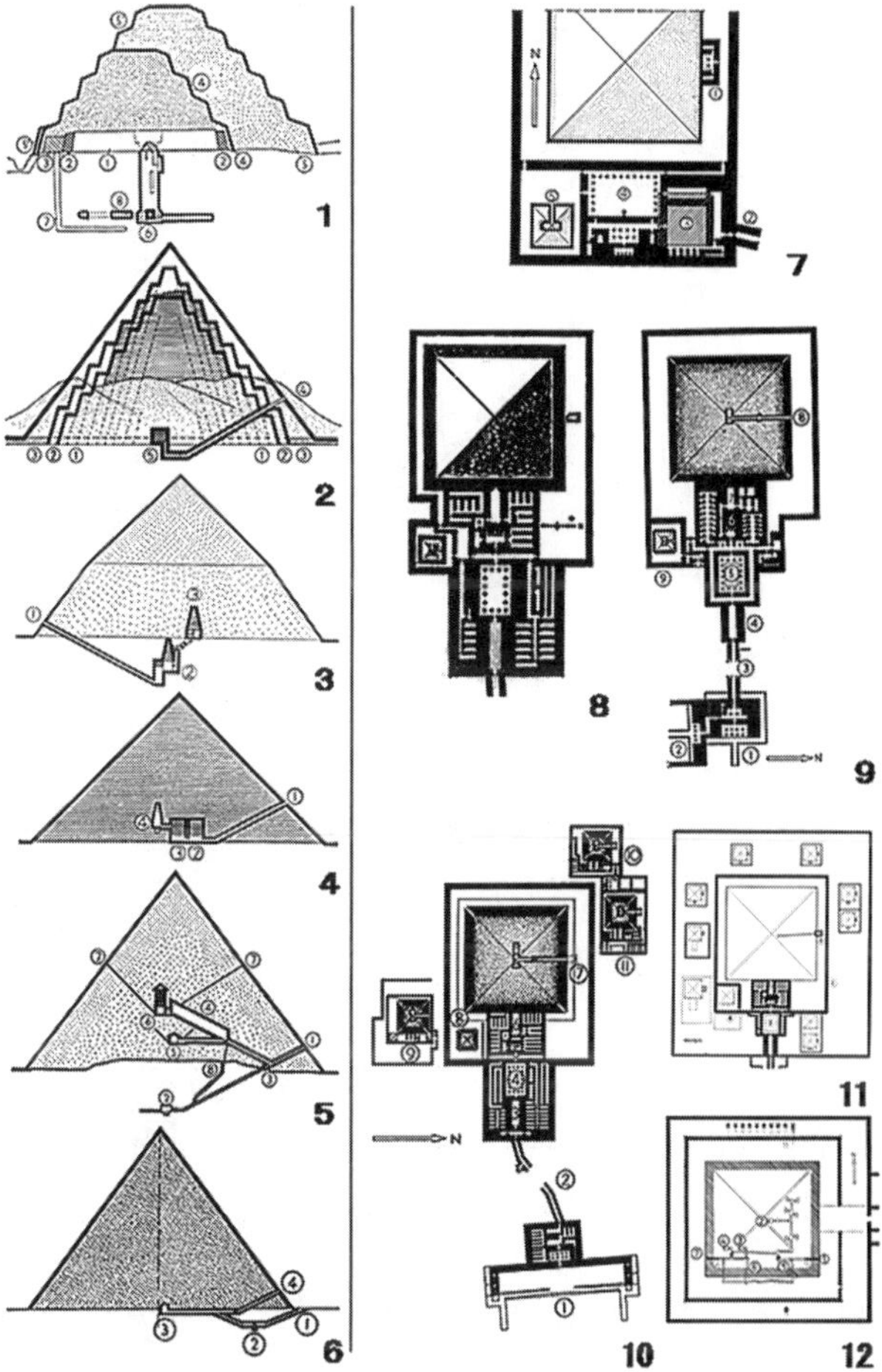

図52　エジプト、真正ピラミッド成立へのあゆみ

1:ジョセル王階段ピラミッド　2:メイドゥム崩れピラミッド　3:屈折ピラミッド　4:南のピラミッド　5:クフ王　6:カフラー王　7:ウセルカーフ王　8:ウナス王　9:サフラー王　10:ペピⅡ世　11:セソストリスⅠ世　12:アメネメスⅢ世（I.E.S.Edwards, *Pyramids of Egypt*, 1972を再構成）

になった。

　しかし、エジプト王墓の頂点を極めたギザの三大ピラミッド以降、エジプトの王墓はしだいに規模を減じてゆき、ファラオの関心も現世から来世の方に重きが置かれるようになった。その象徴が、墓室の壁面にびっしりと刻まれた呪文（ピラミッド・テキスト）である。これは、死せるファラオが天空の神々に列せられ、太陽神ラーと対面することを目的とした葬礼文書であり、後にパピルスに書かれる「死者の書」として体系化された。その後、葬送複合体の中心はファラオの遺骸を納めたピラミッドから、太陽神ラーを祭るための神殿へ移っていった。ファラオが死後に太陽神ラーの下で神となるなら、王墓よりも神殿に直接礼拝する方が、祈願が聞き届けられるはずと人々が考えたのも無理はない。王が神格化を強めれば強めるほど、人々が王墓を重視しなくなるというパラドックスはこうして生まれた。その結果、王墓はファラオの私的な意志で築かれるものに変質した。はじめて芽生えたこの流れを押し返し克服する力は、もはやエジプトに残っておらず、第1中間期の混乱の中でピラミッドの建設は中断してしまった。

　次に、中国における葬送複合体の成立について見てみよう。皇帝陵を特徴づける巨

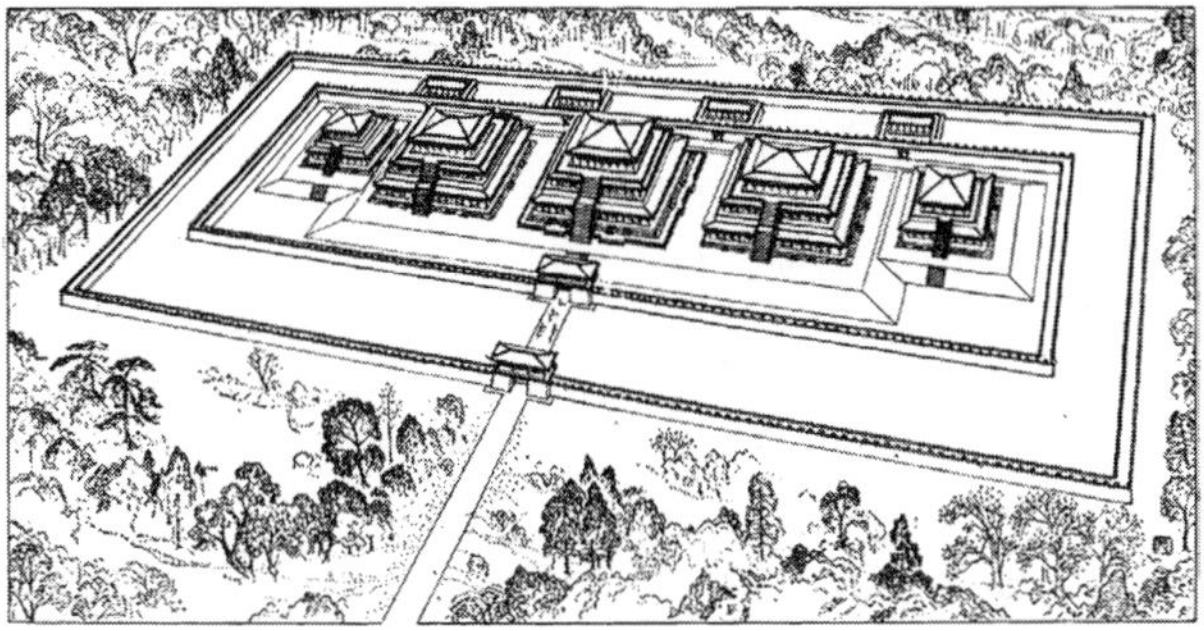

図53　中国、中山王墓の祠堂復元図
墓室の上に階段状の基壇を築き、それを覆うように3階建ての葬祭殿が建てられた（東京国立博物館ほか『中国国宝展』、2000年より）

大な墳丘は、最初の王墓が築かれた商代にはまだなく、戦国時代中期以降に登場した。ただし、土を盛り上げた墳丘ではなく建物基壇であったようだ。紀元前4世紀末に築造された河北省平《へい》山《ざん》の中山《ちゅうざん》王墓では、地下墓室の上に階段状に土を盛り上げ、その上に葬祭殿が建てられた。今は、頂上の建物は完全に失われているが、1974年から始まった発掘調査で、墓室から設計図が発見された。そこに表された完成予想図によれば、各基壇上に3階建ての葬祭殿が5基整然と並べられていた（図53）。この変化の背景は、戦国時代になって王権が強化され、王権に関連した建物が大型化する流れが王墓にも採用されたためだろう。これが中国における葬送複合体の黎明である。

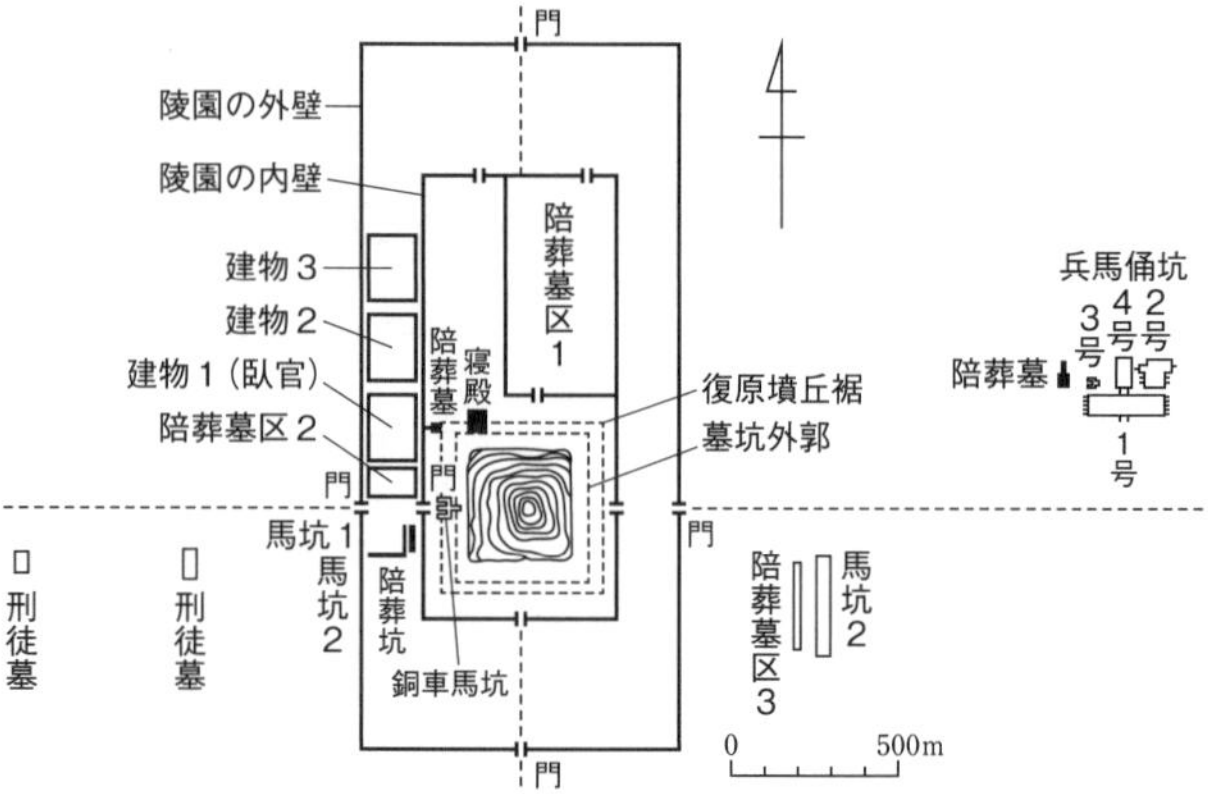

図54　中国、秦始皇帝の葬送複合体全体図
巨大な山陵を囲む長方形の周壁の外側にも、陪葬墓や兵馬俑坑が造営された（都出比呂志『王陵の考古学』、2000年より）

　ところが、エジプトのピラミッドと同様に、葬送複合体の完成にはさらなる飛躍が必要だった。それを成し遂げた主人公が、紀元前221年に天下統一を果たした秦始皇帝である。彼は中央集権や官僚統治を進め、貨幣や度量衡《どりょうこう》を統一し、法による支配を進めたことで歴史に名を残している。さらに、中国全土で大土木工事を行ったが、万里の長城と並ぶ大土木事業として有名なのが、陝西省西安《せいあん》の北東、驪山《りざん》の北側に築造された秦始皇帝陵だ（図54）。この陵墓の建設は、自身が秦王となった紀元前247年から始まった。一辺360メートルの墳丘の周りに長方形プランの周壁を二重に巡らせ、王墓の造営や祭祀を担った建物、陪葬墓が伴う葬送複合体であり、中国では「陵園」と呼ばれている。さらに、東へ1・2キロ離れたところにも兵馬俑坑、銅車馬坑が設営されたが、肝心の墓室は内部が未調査のため定かではない。司馬遷《しばせん》が書いた歴史書『史記』によれば、秦始皇帝陵の地下には銅製の墓室があって、100本の水銀の川と海があり人魚の松明が不滅の灯を点していたという。さらに、ここに侵入すれば、機械式の矢が発射される弩《ど》（石弓《いしゆみ》）が仕掛けられていた。また、秦を滅ぼした楚《そ》の項羽《こうう》が副葬品を運び出した時、いくら運んでもその列が途切れなかったと伝えられている。これらのエピソードは誇張もかなりあるだろうが、近年の地中探査によるとたしかに水銀の反応があるらしく、司馬遷の記述の全てが荒唐無稽だとは言い切れない。始皇帝がこのような手の込んだ王墓を創り出した理由は、不老不死を望み生前同様の生活をそのまま地下に持ち込むことで、地下世界でも君臨することを夢見たためだろうか。いずれにしても始皇帝は自らを神になぞらえていたに違いない。

前漢になると、都であった長安の郊外、渭水《いすい》北岸の咸陽原《かんようげん》に9人の前漢の皇帝陵がそびえ立っている（図55）。その形式は、秦始皇帝陵と同じ葬送複合体で、ピラミッド都市のような維持・管理のための都市（陵邑《りょうゆう》）が付近に設定された。後漢になると、

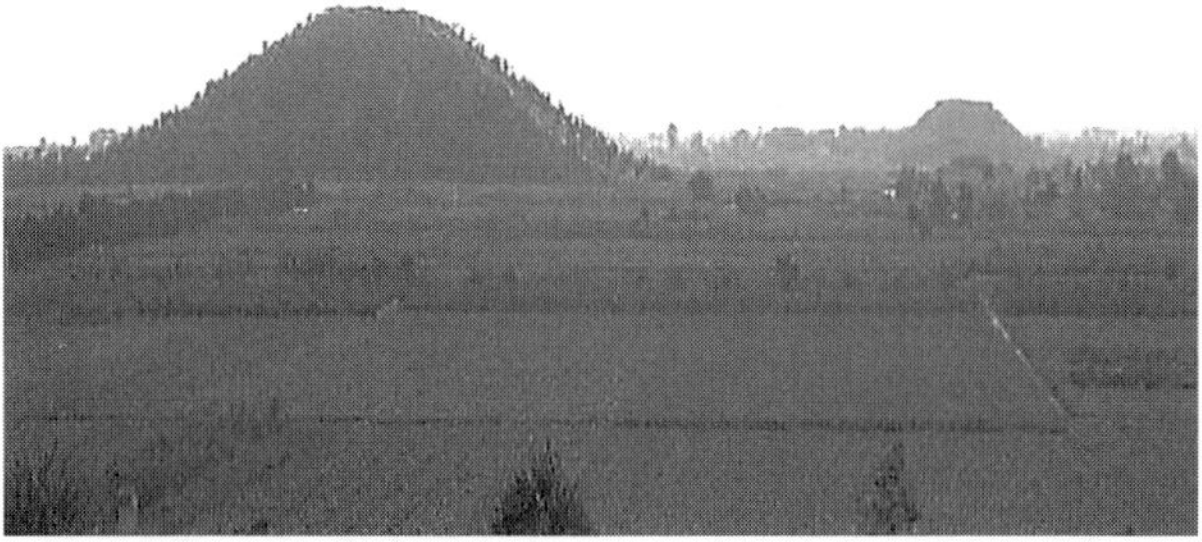

図55　中国、漢代皇帝陵の遠景
前漢の都・長安の北に広がる咸陽原には、四角錐形の山陵を中心とした陵園が築かれた

儀式手順も形式化し、皇帝配下の諸侯にまで広く普及した。しかし、物事は形式化すると生命を失うのが常である。とくに儒教が浸透すると、皇帝自らが埋葬を簡素化した薄葬を率先して採用するようになる。そして、三国時代には皇帝陵の造墓が中断することもしばしばだった。

権力王の誕生

ところで、エジプトと中国で最初に登場した葬送複合体には注目すべき現象がある。図56はエジプト第3王朝のジョセル王のピラミッド複合体と、中国の秦始皇帝の陵園の長辺を合わせて比較した図である。それぞれの地域で最初に登場した葬送複合体であり、階段

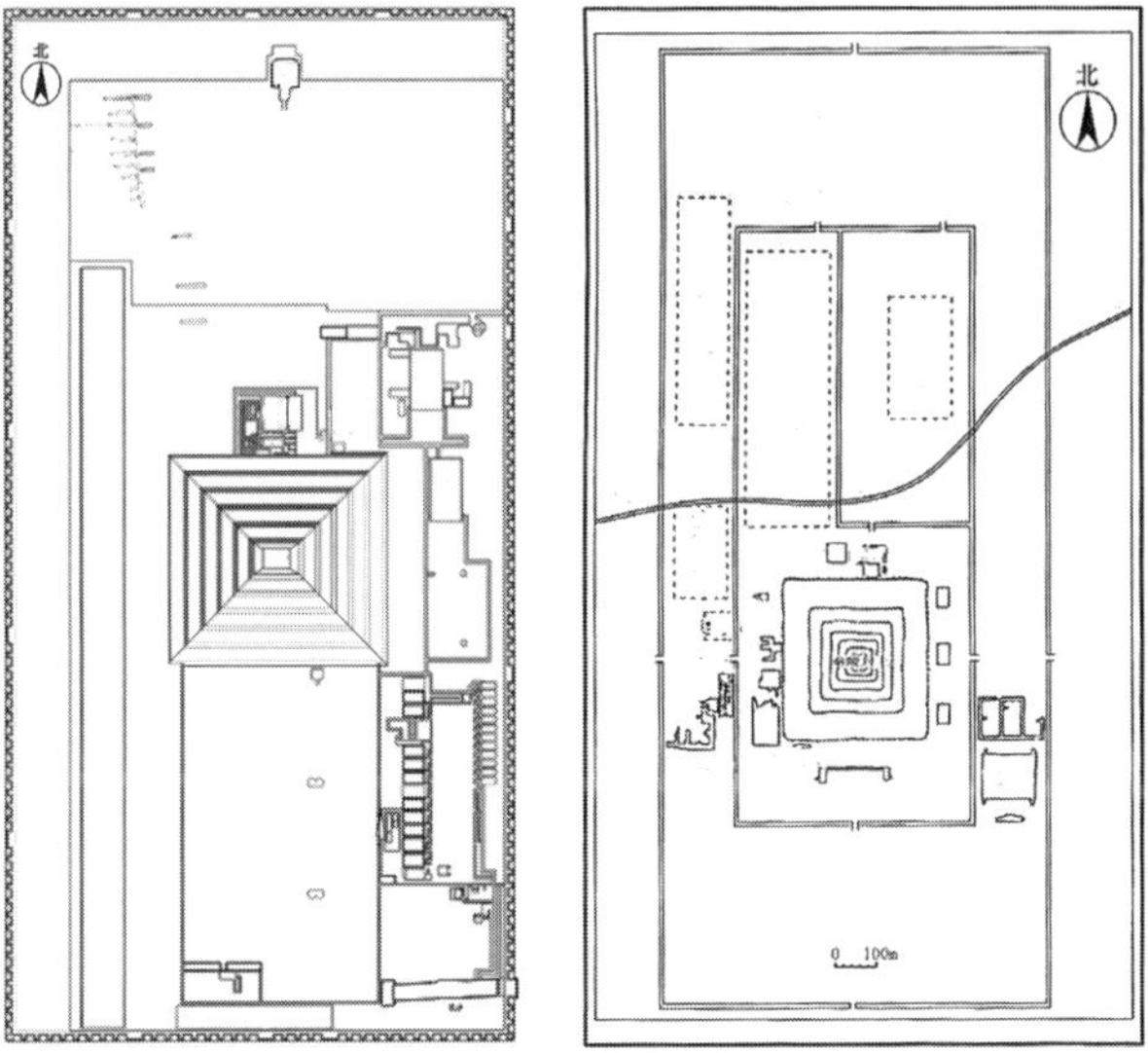

図56　エジプトと中国の葬送複合体の比較

左：エジプト・ジョセル王のピラミッド複合体、右：中国・秦始皇帝の陵園。長方形の周壁の中に方形の墓を築き、周囲の付属施設と一体化している。両者が酷似した理由はよく分かっていない

ピラミッドまたは墳丘と儀礼用の建物が一体化し、長軸を正方位（南北）にとる長方形プランで、周囲に壁が敷設されている点まで共通する。これほど酷似するなら、両者の間には設計プランの共有があっても良さそうだ。ところが、当時、エジプトと中国の間に文化的接触があった形跡はない。しかも、ジョセル王は紀元前２６００年頃、始皇帝は紀元前２１０年に亡くなっており、両者には２５００

年近くの時間差がある。なぜ、これほどそっくりな葬送複合体が、時代と地域を超えて誕生したのだろうか？　今までのところ誰もが納得する答えは出ていないが、共通することが一つある。それは、どちらも葬送複合体の主人公であるファラオおよび皇帝が、神格化を強めていたことである。エジプトではファラオが葬祭殿に自らの彫像を祀り、死後に全知全能の神となった。中国では皇帝が不老不死を求め、地下宮殿を営み死後も神として君臨した。そこには、社会のために犠牲となった弱い王、かつての神聖王の姿はみじんも見られない。葬送複合体の成立とともに、王は神聖王と正反対の性格を具えた姿へと変貌した。

言うなれば、はじめ神聖王だった王墓の被葬者が、時を経て神格化するに至ったことを示す象徴が葬送複合体である。その成立は、人々と王の社会的な関係にも大きな影を落としている。第4章で確認したように、王墓の葬送儀礼はある意味では人々が華麗さを競い合うハレの舞台でもあった。そして、人々が共有した原罪意識を打ち払うために選ばれた被葬者は、最初は「弱い王」だったに違いない。そうした中、この祭礼に自発的に参加する人々には、自分たちこそが王を支えているという一種の矜持《きょうじ》が生まれていたはずだ。しかし、ピラミッドや山陵が巨大化し、王の葬送儀礼を墓ではなく葬祭殿で行うようになると、そのような意識もいつしか薄れてくる。その原因は明白だ。周壁で隠された中で行われる葬送儀礼は秘儀の色彩を帯びるようになり、王墓の儀礼に参加できる人数も以前に比べると大幅に限られるようになったことが引き金だ。言い換えれば、王とそれを支えた人々との間に、心理的な距離が広がったためである。これはエジプトや中国に止まらない。たとえば、文化人類学者の関雄二によると、メソアメリカやアンデスの神殿ピラミッドでも、建築が拡張してその高さが高くなると儀礼のアクセスが制限され、王と人々との距離が広がったという。

それは、王の側からも言える。神聖な王を通して神に捧げられたはずの莫大な労働力や高価な品々は、いつしか神格化した王個人に対する奉仕のように錯覚されるようになった。社会を外から統治する神として王が君臨することで、王の権力は極大化し、これに並行して今まで強く結びついていた王と人々が乖離《かいり》をはじめる。そして、人々と神聖王との心的距離がもはや回復できないほど隔たってしまうと、ついに王はその性格を一変させた。むき出しの権力を誇示する「強い王」、権力王の誕生だ。権力王は自らの造墓に対して、もはや人々の自発的な協力は望めなかった。よって、人々を強制的に徴発せざるを得なくなる。そうなると自己犠牲を通じて社会の危機を救うために築かれた王墓本来の意義も同時に失われ、造墓は王個人の私的な営為と化す。皮肉なことに、人々の結集を目的として誕生したはずの王墓が、逆に社会の分断を招く象徴となったのだ。

すると葬送儀礼が形骸化するのも必定である。そのことを示すのが、墓室の装飾化と葬具の仮器化という現象だ。神となった王は個人的な現世利益を追求し、自身の理想を具現化した他界を墓室の中に再現し、さらに不老不死を希求していっそう神に近づこうとする。葬送儀礼の中で神に捧げられた生身の人間や動物も無機質な造形品で代用され、葬送儀礼は形式化して繰り返し行われるようになった。そして、形式化した王墓は坂道を転がり落ちるように縮小・解体の道をたどる。王墓の築造そのものが中絶してしまうのも、もはや時間の問題だった。

飾られる他界

来世に対する願望を表した死生観の結晶が、装飾墓、装飾棺である。それは、王だけでなく、貴族や一般個人にまで共有される慣習となって普及した。装飾された墓や棺は王墓の成立以前から存在するが、はじめは幾何学的な図文が主流であった。ところが、死生観にも自己の願望が色濃く打ち出されるようになると、被葬者めいめいが憧れた他界を再現した多彩な墓室や棺が展開した。

たとえば、イタリア北・中部を治めたエトルリアの彩色壁画墓の白眉が、タルクィニアのモンテロッツィ共同墓地の装飾墓群である。死後も快適な都市生活を営みたいと願うエトルリア人の死生観を反映して、夫婦がベッドに寝そべり、仲睦まじく語り合っている場面が、壁画の主要画題として描かれた（図57）。同様に、男女の愛の語らいの場面は、「夫婦の陶棺」（ルーブル美術館蔵）でも棺の蓋に立体的に表現されている。装飾墓と

図57　イタリア、タルクィニア・豹《ひょう》の墓
奥壁に鮮やかな彩色で描かれた夫婦の宴会場面が、当時の死生観を表している。天井も装飾され、エトルリアの「死の芸術」をいかんなく示している

装飾棺に共通したモチーフが表された事実は、エトルリア人が享楽的な他界観を共有していたことを物語る。このような死生観は、少なくとも神聖王の段階では考えられなかったものだ。

一方、死後まで王自身の偉大さを誇示しようとしたのが高句麗である。威厳に満ちた墓主が正面を向き、ひときわ大きく表現されている。また、墓主に傅《かしず》く従者は階層に応じて大小で描き分けられ、生前の上下関係の厳格さが来世まで持ち込まれたようだ。また、王が軍団を率いて出陣した場面（出行図）やスポーツに興じる場面も、高句麗壁画古墳の画題の重要な構成要素であった。高句麗人の生き生きとした描写は、中国絵画の影響を受けたとはいえ、強烈な独自性を発揮する。死生観が享楽的にせよ禁欲的にせよ、それぞれの地域で憧れ共有された個性的な他界イメージを、存分に表現することが時代の流れとなったことを物語る。

もう一つ、新大陸で注目すべき地域がメキシコ南部のオアハカの装飾墓である。代表例がモンテ・アルバン104号墓で、墓室内が赤、黄、青などの顔料を使って鮮やかに彩られ、入り口には人を象《かたど》った骨壺が外に向かって置かれていた（図58）。人形《ひとがた》骨壺は、高位の人物が全身を飾り立てたさまを表しており、借景となる彩色壁画とあい

図58　メキシコ、モンテ・アルバン104号墓
入り口に置かれた形象骨壺と借景になる彩色壁画の組み合わせは、オアハカに展開する装飾墓文化の特色である（メキシコ、国立人類学博物館）

まって、色鮮やかな来世を墓室内に再現することに強いこだわりを見せたサポテカ人の面目躍如である。オアハカの装飾墓文化は、先行するテオティワカンやマヤからの影響を受けたと考えられるが、どちらか一方を踏襲するのでなく、メソアメリカの中でも埋葬に強いこだわりを見せたきわめて特異な地域と言えよう。

装飾墓・装飾棺は人々が歴史の中で育んできた他界観を、墓室内に再現することで誕生した「死の芸術」である。そもそも王墓とは、王を安らかに眠らせることが本来の役割であり、他界を再現するための場ではなかった。人物や動物、当時の風俗などを描き、飾り立てられた墓室は、神聖王が眠る墓所にはそぐわない。しかし、葬送が私的行為になると、その軛《くびき》から解放され、墓主が思い描く他界観を思う存分に表現できる舞台となった。その結果、豪華なものから簡素なものにいたるまで、被葬者個人の財力に応じたさまざまな装飾墓が各地で開花することとなった。

仮器化した葬具

第5章で確認したように、元来、副葬品とは強制的な威信財の贈与・交換で蓄積される負債感を、神聖王に携えさせて神へ贈与することで解放するためのものだった。当然、神聖王の時代に葬送の手続きを省略することはできなかったはずで、仮器（模造品）を副葬するなどもっての外だった。たとえば、メソアメリカでは神に自身を捧げることはたいへん名誉な行為だった。だからこそ、現代のヒューマニズムでは眉をひそめるような生贄という慣習も、当時の人々にとっては必要不可欠なものと考えられていた。生贄とは、社会を安定させるためには自らを犠牲にせねばならないという、当時の人々の利他精神に根差した儀礼に他ならない。王墓という前代未聞のモニュメントを造りあげるには、神と人間との協力が不可欠で、その手段として人身供儀は必須の儀礼だった。この凄惨な儀礼について、歴史の父、ギリシャのヘロドトスも『歴史』の中で、黒海沿岸のスキタイ王の埋葬にあたっては何度も人身供儀が繰り返されたことを克明に記録している。

　王陵は、ボリュステネス河の遡航可能な限界点に当るゲロイ人の国土内にある。スキュティアの王が死ぬと、この土地に四角形の大きい穴を掘り、穴の用意ができると遺骸をとり上げるのであるが、遺体は全身に蠟を塗り、腹腔を裂いて臓腑を出した後、搗《つ》きつぶしたかやつり草（キュペロン）、香料、パセリの種子、アニスなどをいっぱいに詰めて再び縫い合せてある。さてこの遺骸をとりあげ、車で別の民族の国へ運んでゆく。運ばれてきた遺骸を受け取った国の者たちは、王族スキュタイ人のするのと同じことをする。すなわち耳の一部を切りとり、頭髪を丸く剃り落し、両腕に切傷をつけ、額と鼻を掻きむしり、左手を矢で貫くのである。（中略）それから遺骸を墓の中の畳の床に安置すると、遺骸の両側に槍を突き立てて上に木をわたし、さらにむしろを被せる。墓中に広く空いている部分には、故王の側妾の一人を絞殺して葬り、さらに酌小姓、料理番、馬丁、侍従、取次役、馬、それに万般の品々から選び出した一部と黄金の盃も一緒に埋める。盃は銀製のものも青銅製のものも一切用いない。右のことをし終えてから、全員で巨大な塚を盛り上げるのであるが、なるべく大きな塚にしようとわれがちに懸命になって築くのである。

一年が経つとまた次のような儀式を行なう。故王に仕えた残りの侍臣のうち王に最も親しく仕えたもの——これらは生粋のスキュタイ人である。王自ら命じたものが侍臣として仕えるのであり、スキュティアには金で買った使用人はいない——五十人と最も優良な馬五十頭を絞殺し、臓腑を抜いて掃除したのちもみがらを詰めて縫い合せる。一方、車輪の輪縁《わぶち》を半分に切ったものを（輪縁を）下向きに二本の杭で留め、残りの半分の輪縁は別の二本の杭で留めるというふうにして、このようなものを多数地面に固定させる。それから馬の胴体に太い棒を頸のあたりまで縦に通し、これを輪縁にかける。前方の輪縁は馬の肩を受け、後方の輪縁は腿のあたりで馬の腹を支える。四肢はいずれも宙にぶらさがる。綱とくつばみを馬につけ、手綱は前方に引張って小杭に縛りつける。さて絞殺された五十人の青年の死骸をそれぞれこの馬に乗せるのであるが、あらかじめ一つ一つ遺骸の背骨に沿って真直ぐな棒を頸まで通しておいてから乗せる。そしてこの棒の下方に突き出した尖端を、馬に通してある別の棒の穴にはめ込むのである。このような騎乗の人間を墓のまわりに立ててから、一同は立ち去るのである。

ヘロドトス著、松平千秋訳『歴史』より

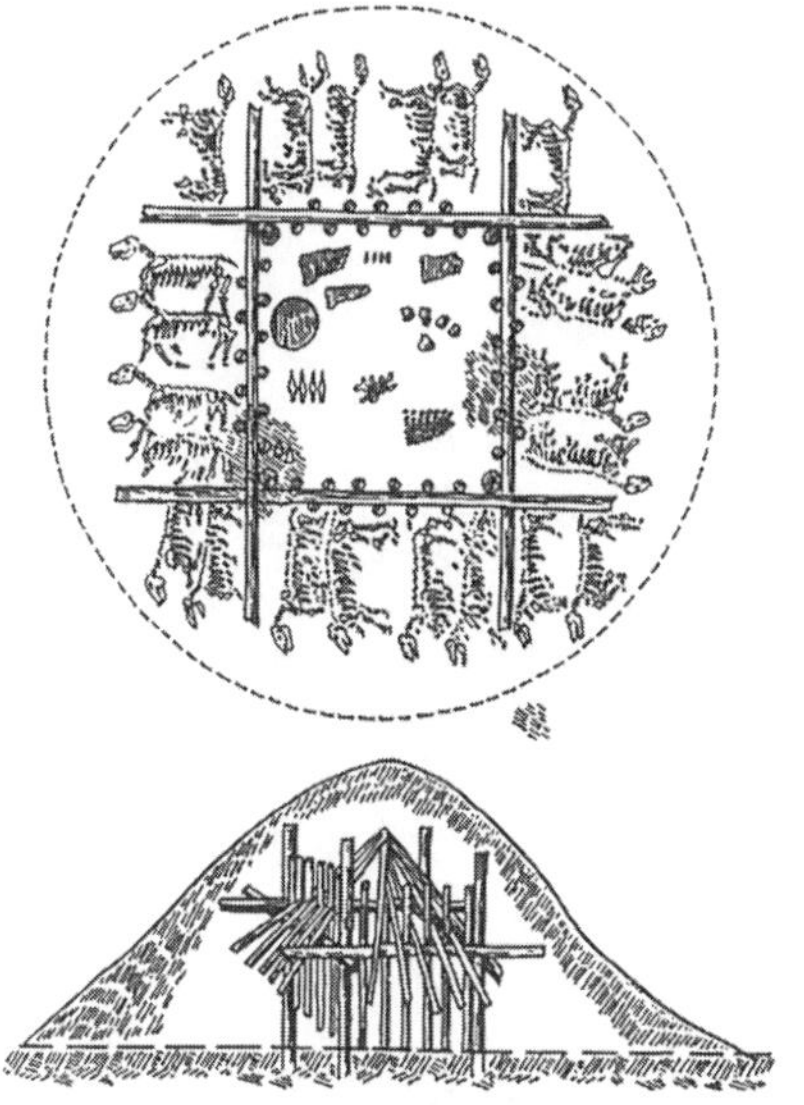

図59　ロシア、コストロムスカヤ・クルガン
地上に遊牧民のテントを建て数多くの殉葬馬を伴わせ、全体を盛土で覆ったスキタイの伝統的な墓
（林俊雄「中央アジアの王墓」『アジアの王墓』、2014年より）

この記述を彷彿とさせる王墓が、南ロシアで紀元前7～前6世紀に築造されたコストロムスカヤ・クルガン（古墳）だ（図59）。径9メートル、高さ2・5メートルの円墳である。墳丘内には、地下の墓室を囲んで4本の柱を立て、井桁《いげた》状に横木を組み、屋根にはテント

形の構造物が内蔵されていた。井桁と同じ高さには、頭を外側に向けた22体の馬が殉葬されていた。盗掘を受けていたが、威信財を含む数多くの副葬品が回収され、一部ではあるがヘロドトスの記述を裏付けている。これと共通した墓制は、ユーラシア大陸中央部に広がるステップ地帯に築かれた遊牧騎馬民族の王墓に広く採用されている(図60)。

しかし、名誉の生贄という観念に、人々から異議申し立てが出てくるのは当然である。いくら死が至高の名誉だったとしても、誰しも自分が生贄になることは避けたいからだ。そこで、仮器で代用する方式を思いついた賢者がいた。『日本書紀』には、古墳の周りに立てられた埴輪(図61)の起源についての有名な説話が載せられている。

垂仁《すいにん》天皇の皇后である日葉酢媛《ひばすひめ》の埋葬と共に、以前からの例にならって人間や馬が生きたまま墓の周囲に立てられた。当然ながら、犠牲者は泣きわめき、立ったまま死んでゆくというきわめて凄惨な情景が展開した。そこで、天皇の心痛を少しでも和らげようと、豪族の野見宿禰《のみのすくね》が土製人形で代用することを進言した。それが埴輪の起源だとする説話である。もっとも、現代の日本考古学では、形象埴輪の起源はこの説話の通りではないことが証明されている。しかし、神に捧げる対象が生身の人間や動物

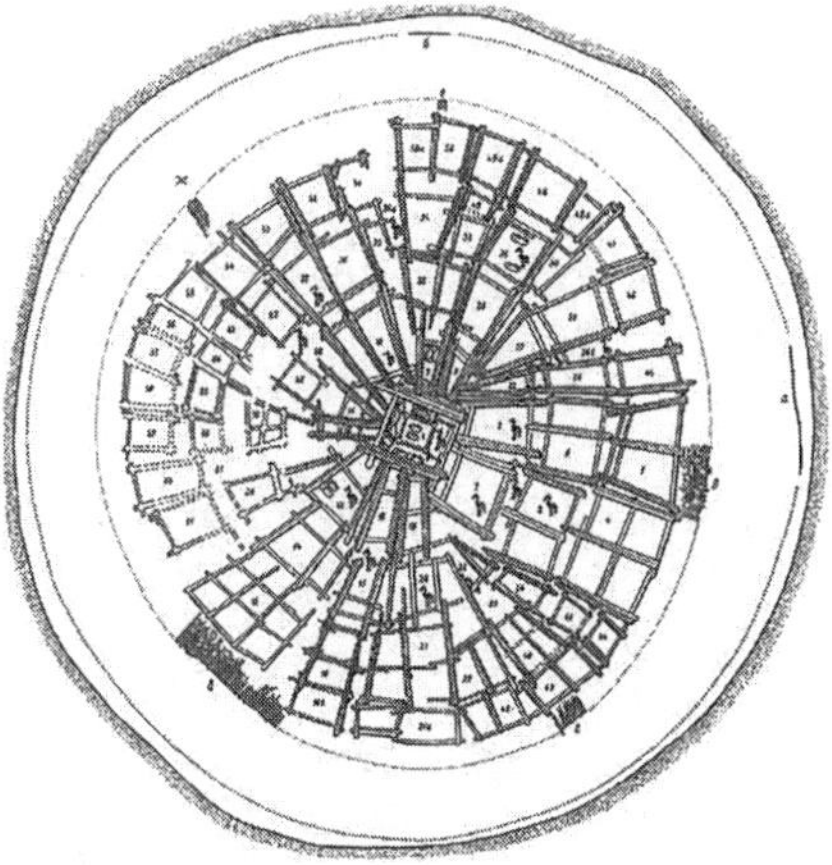

図60　ロシア（トゥーバ）、アルジャン1号墳平面図
木材を井桁状に組み、殉葬者・犠牲馬を供えた墓室を中央に築き、全体を覆った積石塚（林俊雄「中央アジアの王墓」『アジアの王墓』、2014年より）

図61　埴輪と墳丘
現在、形象埴輪の起源は、『日本書紀』の記述とは異なるとされているが、記紀の時代の埴輪に対する見方がうかがえて興味深い
（群馬、保渡田八幡塚古墳）

から仮器に移行した理由としては、この説話が語る論理は、現代の私たちからみても道理にかなっている。だから、兵馬俑についても同様で、それ以前の数多くの殉葬・犠牲が捧げられた時代よりも、はるかに社会が進化した結果だと見なして良いように思われる。しかし、葬送儀礼に仮器が採用されることを、はたして当時の人々は素直に喜んでいたのだろうか？

ここまで説明すると、答えは明白だ。否である。当時の人々は神に償いとして捧げるものを、代用品で良しとは決して考えていなかっただろう。王墓が誕生した頃の社会は、王も殉死者もさらには八百万《やおよろず》の神々さえ、自らを犠牲にしなければ社会が存続できないといった緊張感に満ちていた。王のための造墓は、社会を持続させるための最後の手段であり、正直なところを言えば、できれば誰しも取りたくなかったに違いない。一方で人々は、王を支えているのは私たちだという強い信念に満ち溢れていた。ところが、神聖王が神格化して権力王になると、むき出しの暴力を背景に人々を自身に奉仕させるようになった。なぜなら王自身が神だったからである。モニュメントは王の私的な営為の場と化し、奉仕する対象が何であれ、王自らが定めたモニュメントの造営に、人々は黙って従わなければならなかった。だからこそ、葬送儀礼は急速に形骸化したのだ。

文明の衝突

王が神格化し権威主義的な色彩を強めると、多様性に対し不寛容になるのは今も昔も変わらない。そうなると、隣接地域からの強力な文化的影響や戦争などの政治的衝突をきっかけとして、文明どうしが衝突し、構造や副葬品ががらりと一変する地域も現れた。その典型例として、ヘレニズムによって固有の埋葬を捨て去った黒海沿岸の王族スキタイと、征服者によって王墓築造の風習が完全に破壊されたメソアメリカの事例を紹介する。

前節で触れたように遊牧騎馬民族であったスキタイの王墓は、地上にテント形構造物を建て、墳丘を築く過程で犠牲馬を捧げるのが一般的だった。しかし、紀元前5世紀末以降、この王族スキタイ固有の埋葬法は捨て去られ、墓室や副葬品が急激にギリシャ化していく。たとえば、紀元前4世紀に築かれたソローハ・クルガンでは、深さ5メートルに達する竪穴を掘り、トンネル状に延びる墓室の中に王と殉葬者が埋葬されている。スキタイの特徴である犠牲馬は、墳丘を築造する途中ではなく、別の場所に専用の土坑を掘って捧げられた。副葬品もスキタイが好んだ鹿形の飾金具ではなく、金銀製のギリシャ風の容器や服飾具に変わっている。そのきっかけとなったのが、紀元前7世紀にはじまる黒海北岸へのギリシャ植民都市の建設であった。この移住こそ、スキタイ独自の埋葬法がギリシャ化していく政治的要因だった。かろうじて王墓に犠牲馬を捧げる慣習を残したのは、遊牧騎馬民族としてのプライドだっただろうか。このようにボリュステネス河（ドニエプル河）下流域には、スキタイの政治・手工業の中心が置かれ、国家制度が整備されつつあったのと反比例して、王族スキタイの固有の埋葬は衰退してゆく。

メソアメリカは、葬送複合体を成立させたところで王墓築造の風習が挫折した例である。多様な自然環境に育まれ、「（神を）祈り、怖れ、（生贄を）捧げた」メキシコやグァテマラ、ホンジュラスを中心に固有の文明が広がっていた。この地域の王墓は、伝統的に建物の地下や内部に営まれている。メキシコ南部、オアハカ盆地のモンテ・アルバンでは、１９３２年に考古学者アルフォンソ・カソらが、ミシュテカ時代の５００点以上の副葬品を持つ王墓を発見した。14世紀前半に築かれたモンテ・アルバン7号墓だ（図62）。黄金の胸飾りやヒスイ製首飾りをはじめとする装身具、トルコ石のモザイクで覆われた頭蓋骨、アラバスター（雪花《せっか》石膏《せっこう》）製容器、水晶製品などが副葬されていた。ユカタン半島を中心とするマヤでは、頂上に神殿を建てた階段ピラミッドに墓室を内蔵し、その前面にマヤ文字を刻んだ石碑が立てられた。神殿は王の霊廟

図62　メキシコ、モンテ・アルバン7号墓
マヤ式アーチで天井を構成した墓室から、金製胸飾り(ペクトラル)、トルコ石のモザイクのドクロなど豪華な品々が出土した

図63　メキシコ、パカル王墓（碑文の神殿）と王妃墓（13号神殿）
頂上に立つ神殿の床下から墓室へと階段が続く。隣接する神殿からは王妃墓も発見された

を兼ねた葬送複合体で、定期的に行われた儀礼のたびに生贄が捧げられた（図63）。13世紀以降、メキシコ中央高原を中心に領域支配を進めたアステカでは、大神殿（テンプロ・マヨール）を中心とした神権政治が進められた。しかし、王墓と特定できる埋葬例は定かではない。近年、テンプロ・マヨールでは国家プロジェクトとして発掘調査や研究が進行中で、金製品を埋納した土坑などが確認されている。もし、これが王墓に付属したものであれば、大神殿と王墓が複合したマヤ以来の葬送複合体の形式がアステカまで継承されていたことになる。ところが、１５２１年にスペイン人エルナン・コルテスが

アステカを征服し、メソアメリカの王墓は突然の中絶を余儀なくされた。テンプロ・マヨールは完全に破壊しつくされ、マヤの神殿ピラミッドは密林の中に放棄された。こうした文明の衝突も、造墓活動の衰退を加速させた。

ここまで見てきたように、王墓が極大化すると急速に衰退していくのは、紛れもなく王が神格化され権力王となったのが原因だ。なぜなら、王墓誕生の条件である神聖王権と威信財経済のうち、神聖王権が形骸化したからである。そして、もう一つの条件である威信財経済が失われると、歴史の中から王墓は消滅する。そのことを端的に表した言葉が、「国家に抗する王墓」だ。次章では、国家の整備が進むとなぜ王墓は衰退するのかという謎に肉迫する。

第8章

王墓が解体すると、なぜ国家は成熟するのか？

王墓の落日

創造性を失った文化、制度、組織はいずれ滅びる。それは存在理由を失った王墓も例外ではなかった。社会的な意義を失い人々から見放された王墓には、「見せる埋葬」を捨てて人目から「隠す埋葬」へ原点回帰するか、王が権力に物を言わせて形骸化した王墓を造り続けるか、あるいはきっぱりと王墓の築造を止めてしまうかのいずれかの道しか残されていなかった。本章では、まずこの三つの整理に従って王墓が解体し消滅する過程を振り返る。次に、王墓に代わって王との結びつきを強めた都市に焦点を当て、威信財経済の変質について言及する。最後に、本章の結論として王墓と国家が両立しない根本的な理由について、時間観念の変質から説明してみたい。

それでは、王墓が解体し消滅する過程を振り返っていこう。まず取り上げるのは、王墓が「見せる埋葬」を捨て去ったエジプトである。今から3500年以上前、第18王朝がエジプトを再統一し都をテーベ（ルクソール）に定めた。新王国の誕生だ。この時期、エジプトはトトメス3世、アメンヘテプ3世、ラムセス2世など強大な権力を手にしたファラオたちが歴史に名を残している。その一方で王墓は全土に広がらず、

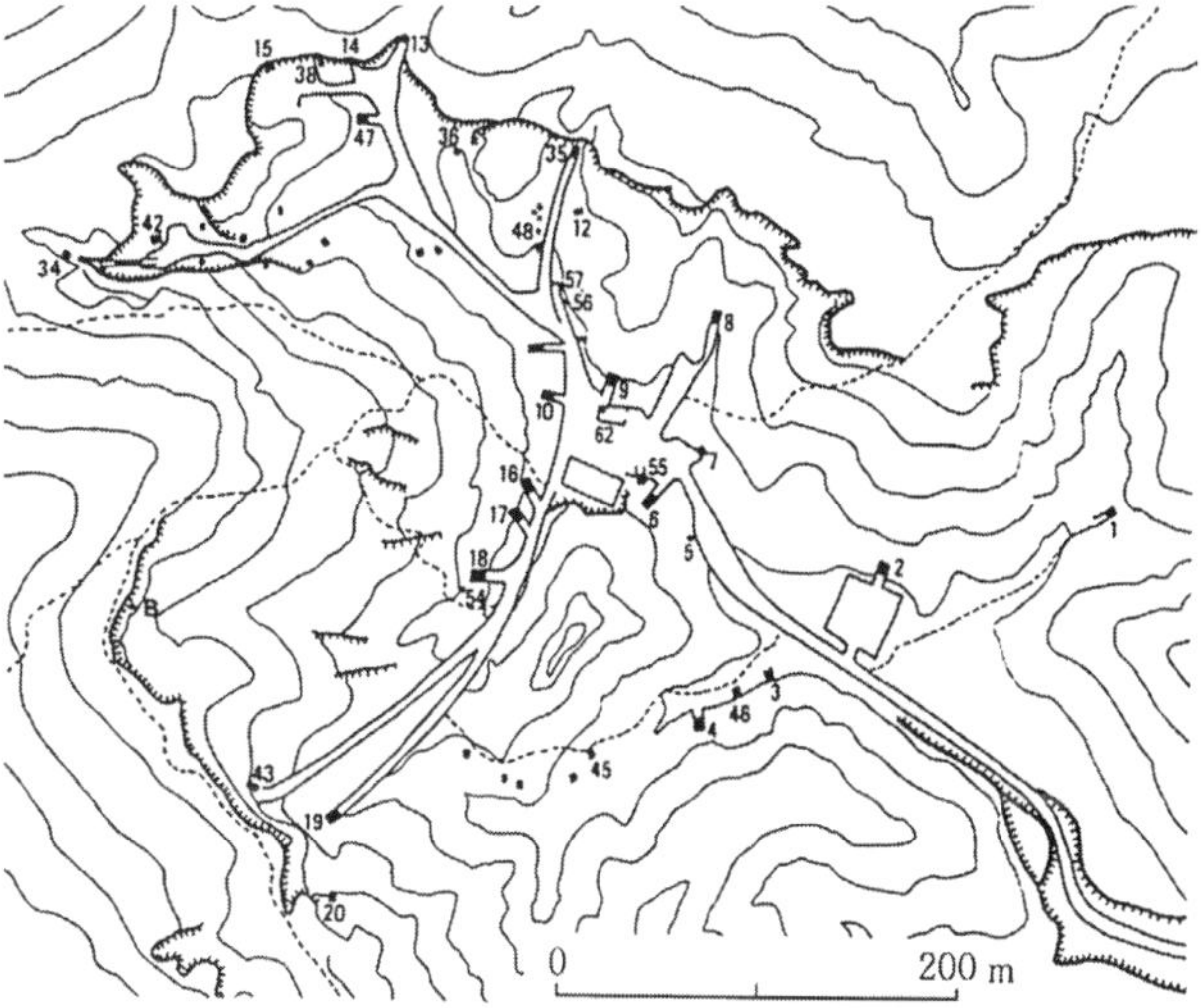

図64　エジプト、王家の谷（東谷）の岩窟墓の分布
モニュメントとしての葬送複合体は解体し、王墓は谷の中に隠された岩窟墓へ変質した（都出比呂志『王陵の考古学』、2000年より）

都であったテーベ西側の王家の谷に集中した（図64）。そこには24基の王墓が谷筋に隠れるように築かれており、その皮切りは第18王朝のトトメス1世墓だった。古王国のジョセル王が初めて創り出して以降、葬送複合体だった王墓は、葬祭殿と分離した岩窟墓に変化した。それは岩肌にトンネルを掘り、内部に礼拝施設を具えた墓室を築くものだった。

　王家の谷に築かれた王墓のうち、最も有名なのはツタンカーメン王墓だろう。早世した異端のファラオとして歴史から消され、王墓も非常に見つけにくい場所にあったことから、3000年以上にわたり王の眠りが守られた。黄金のマスクがかぶされた王のミイラは、三重の人形棺、さらに四重の厨子で厳重に覆われていた。一緒に見つかった5000点以上の副葬品は、カイロ博物館に収蔵されているが、今後はギザの大エジプト博物館（GEM）に引き継がれる。とくに2022年は、ツタンカーメン王墓発見100周年として再び脚光が当てられ、今もその余波は続いている。

王家の谷の成立は、エジプトで王墓が成立して以降、「見せる」ものだった埋葬を「隠す」ものに転換する非常に画期的な出来事だった。しかし重要なのは、この時期に決して王の力は衰えていなかったことだ。それどころか、王墓が縮小過程をたどる一方で、エジプトでは自国の領土が拡張されオリエント最大の領土を誇るようになり、まさに空前の繁栄を迎えていた。そのため、紀元前13世紀頃にはエジプトとヒッタイトとの間でカデシュの戦いのような国際戦争も勃発した。この時代、権力王は自らの権力欲に忠実だった。それを象徴するのがアブ・シンベル大神殿やルクソールのカルナック神殿に代表されるような、今日までエジプト各地に残る、ファラオの命により建造された記念建築物である。したがって、新王国になってエジプトで王墓が目立たなくなった背景は、王権が弱体化して建築活動が低調になったからではなく、王墓だけが権力を誇示するためのメニューから脱落したと見るのが正しいだろう。

一方、エジプトとは異なり、葬送複合体が解体しなかったのがローマと中国である。皇帝の復古主義政策の一環として、墓と廟をかねた施設が断続的に築造された。歴代皇帝がそれぞれ葬送複合体を建造し、それを運営するには莫大なコストがかかる。しかし、私的な営為と化した王墓の造営に、人々が自発的に労働力を提供することはもはやなく、必要な労働力を集めるには王が強制的に徴発するしか術がなかった。そこで、代替わりごとに新規に建造するのではなく、すでに築造された葬送複合体の中に別の皇帝が埋葬される事態も決して珍しいことではなくなった。

アウグストゥス（オクタウィアヌス）は共和政ローマの執政官で、初代ローマ皇帝としてよく知られている。紀元前44年のカエサル暗殺後に、混乱したローマの政争を勝ち抜き、エジプトを併合して地中海世界を統一した人物である。紀元前27年に皇帝として即位した彼は、パクス・ロマーナ（ローマの平和）の礎を築くことで、盤石の権威と権力を確立した。彼の墓と廟を兼ねた建物が今もローマ市内に遺跡として残っている。その代表がアウグストゥス帝廟だ（図65）。現在は廃墟と化しているが、往時の規

図65　イタリア（ローマ）、アウグストゥス帝廟の復元図と現状
頂上部が失われ廃墟となっているが、かつては神格化された皇帝像が頂部に飾られていた

模は径87メートル、高さ約45メートルで、ドームの頂上には神格化されたアウグストゥスの彫像が樹立されていたようだ。廟の中央に営まれた墓室には、彼の遺灰を納めた黄金の骨壺が置かれたという。この施設は、アウグストゥスの死後、他の皇帝たちにも再利用された。一方、このような葬送複合体はハドリアヌス帝も築造した。彼の廟は後にサンタンジェロ城に改造され、一辺85メートルの方形基壇の上に2段の円筒形を重ねた形で、高さは50メートルに達する。頂上にハドリアヌスが戦車を引く像が飾られていた。しかし、かたや最底辺のローマ市民は独立した墓を築

図66　中国、永泰公主墓の彩色壁画
唐時代の官人たちを墓室内に描いた装飾墓で、地下宮殿の名にふさわしい

くことさえできず、カタコンベのような洞窟で遺骸処理がなされていた。当時のローマでは、被葬者の財力に応じて墓の規模や立地が決まったらしい。ミイラ頭部に被葬者自身の肖像画を取り付ける風習がこの時期に流行したのも、造墓活動が私的な活動に過ぎなくなったことを暗示しているようだ。

ローマ同様に、皇帝と后妃だけに造墓が許されたのが中国である。後漢時代以降、いったん中断した皇帝や皇族の葬送複合体が復活したのは唐時代だ。埋葬施設内には地下宮殿と呼ぶにふさわしい豪華な彩色壁画が描かれた（図66）。しかし、その後、唐末以降の混乱の中で再び姿を消す。次に再生したのは北宋時代以降である。河南省鞏義市《きょうぎ》に築かれた宋陵には、歴代皇帝の廟と墓が集約され、周囲には獅子や官人の石彫《いしぼ》りが樹立された。征服王朝である元をはさんで後続する、明と清の時代の歴代の皇帝陵は風水に従って土地が選定されている。陵墓建築の伝統に則ってさまざまな施設が建てられ、皇帝が眠るための地下宮殿も築かれた（図67）。しかし、ローマと同じく全ての皇帝が陵墓を築けたわけではなく、先行する皇帝陵にまとめられることも少なくなかった。王墓に投下された労働力は、唐

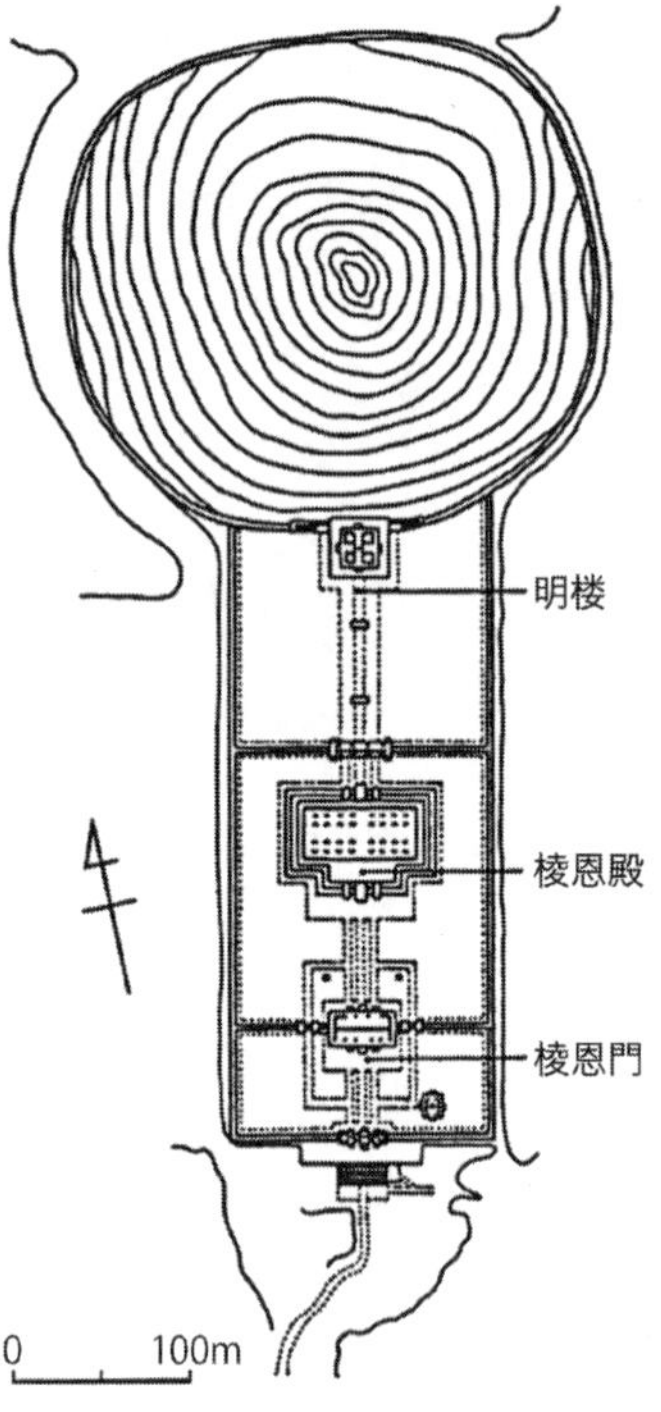

図67　中国、明孝陵（朱元璋墓）
中国では、葬送複合体がエジプトやメソポタミアのように解体せず、皇帝陵は清時代まで築かれた
（都出比呂志『王陵の考古学』、2000年より）

時代以前と比較すると明らかに限定されるようになった。

なお、特定個人だけが王墓を築き続けた風習は、現代にまで痕跡的にせよ残存していると言えるかもしれない。たとえば、中国や北朝鮮では最高指導者の遺体に衛生保全（エンバーミング）を施して、人々が参拝できるようにした記念建築物が知られている。ロシアの赤の広場に建つレーニン廟もその一つだろう。王墓の築造が保守的に持続している理由については、近現代に成立した権威主義的国家の特徴のように言われることが普通だ。しかし、日本でも江戸時代までは歴代の天皇は火葬されていたが、明治以降は山陵が復活した。明治天皇陵では、墓室に埴輪を模したような素焼きの人形が副葬されている。最高指導者の神格化といった面も否めないけれども、それが特に東アジアで顕著な理由は、殷代以来の中国の王墓築造の伝統が今も脈々と受け継がれているから、という見方はうがちすぎだろうか？

最後に、国家体制の完成と同時に完全に王墓の築造を止めてしまった地域として、アンデスのインカを挙げたい。アンデスは第6章で確認したように、独自に固有の王墓を成立させたが、インカでは意識的に王墓の築造を廃止してしまった。旧大陸の国家を見慣れた目からは、インカは不思議な国家に映る。特に「帝国」とも称される複雑な社会組織を確立し、建築や美術にも高い技術水準を誇りながら、一方で文字を持っておらず、キープと呼ばれた、数を記録し伝達する手段だけしかなかった。ここでは皇帝の宮殿は前代から引き継がれずに、代替わりで新設されていた。その内部には皇帝のミイラが安置され、かつての従者たちが生前同様に世話をした。皇帝は太陽神インティの化身と考えられたから、死後にミイラとなっても生前同様の権威を保っていたのだ。また、重要な儀式の折には、皇帝のミイラが輿に乗せられて王都であるクスコ市内をねり歩いた。だから王墓は築かれなかったし、ミイラが安置された宮殿も死せる王の霊を祭るための葬祭殿ではなかった。そもそも「死」で生が断絶するという観念がなかったから、インカの人々にとって最も避けなければならないことは遺骸の腐敗によって身体が消滅することだった。しかし、死なないのだから必然的に遺産の相続も無いことになる。したがって、次第に死せる皇帝の権威が現皇帝を凌駕するようになった。このアンバランスさは、インカ帝国が崩壊する引き金の一つにもなった。

都市と接近する王墓

すでに見てきたように、かつてのように王墓の造営に新たに力を注ぐことは、もはや時代遅れになった。王墓の存在意義が失われることと裏腹に顕著となってきたのは、王墓と都市の接近だ。たとえば、中国考古学者の黄暁芬《こうぎょうふぇん》によると、東アジアの都市は儒教の聖典である『周礼《しゅらい》』に則って政治と祭祀に関連した主要施設を左右対称に配置したものから、王宮を最北に置いて皇帝権力を強烈に打ち出した都市プランへ推移したという。都市の設計思想も、神聖性の重視から権力の象徴へと推移することは、王墓と共通した流れである。そうなると王墓と都市が次第に接近するようになることも何ら不思議ではない。実際に、それは都市の中に王墓を築く、あるいは王家の墓地を都市に見立てる、といった二つの方法によって具現化することになった。

アケメネス朝ペルシャでは、西暦546年にキュロス2世によって建設が始まった最初の王都であるパサルガダエに、彼の墓と伝えられる記念建造物が築かれた。これは、6段の階段ピラミッドの頂部に建つ切妻形の建物である(図68)。もっとも、この王墓の被葬者がキュロス2世であるという確証は皆無である。今となっては被葬者は不明だけれども、この王墓が都市の居住民に対しての「見せる埋葬」だったことは疑いない。たとえば、紀元前334~前323年に東方遠征中だったアレクサンドロス大王は、ここがキュロス2世が眠る墓だと固く信じていた。ペルセポリスを破壊した

図68　イラン、パサルガダエの伝キュロス2世墓
墓室を基壇上に高く掲げ、都市の市民に見せつけるために築かれた記念建造物

時に、この伝キュロス2世墓に立ち寄り、部下に命じて黄金製品をはじめとする豪華な副葬品を発掘したと歴史書には記されている。当時、王墓は、王の政治的モニュメントの一つと考えられていたからこそ、アレクサンドロス大王は帝都と一緒にこの墓も荒らしたに相違ない。

この逸話のように、都市に近接して王墓を築いたのとは対照的に、墓地を都市化した例もある。その代表例が、エジプトのギザに造営された葬送複合体（ピラミッド・コンプレックス）だ（図69）。第7章で確認したように、ファラオのために造成されたピラミッド、葬祭殿、参道で結ばれた河谷神殿から構成され、その周囲には王族や貴族のマスタバが整然と配置されている。このような墓地は、被葬者の死後に慌てて造墓が進められたのではなく、おそらく生前から場所や規模や形式などの詳細な設計仕様が固まっていたに違いない。いわば、都市計画ならぬ厳密な墓地計画があらかじめ立てられ、見る者に与える心理的影響まで計算しつくされていたことは想像に難くない。

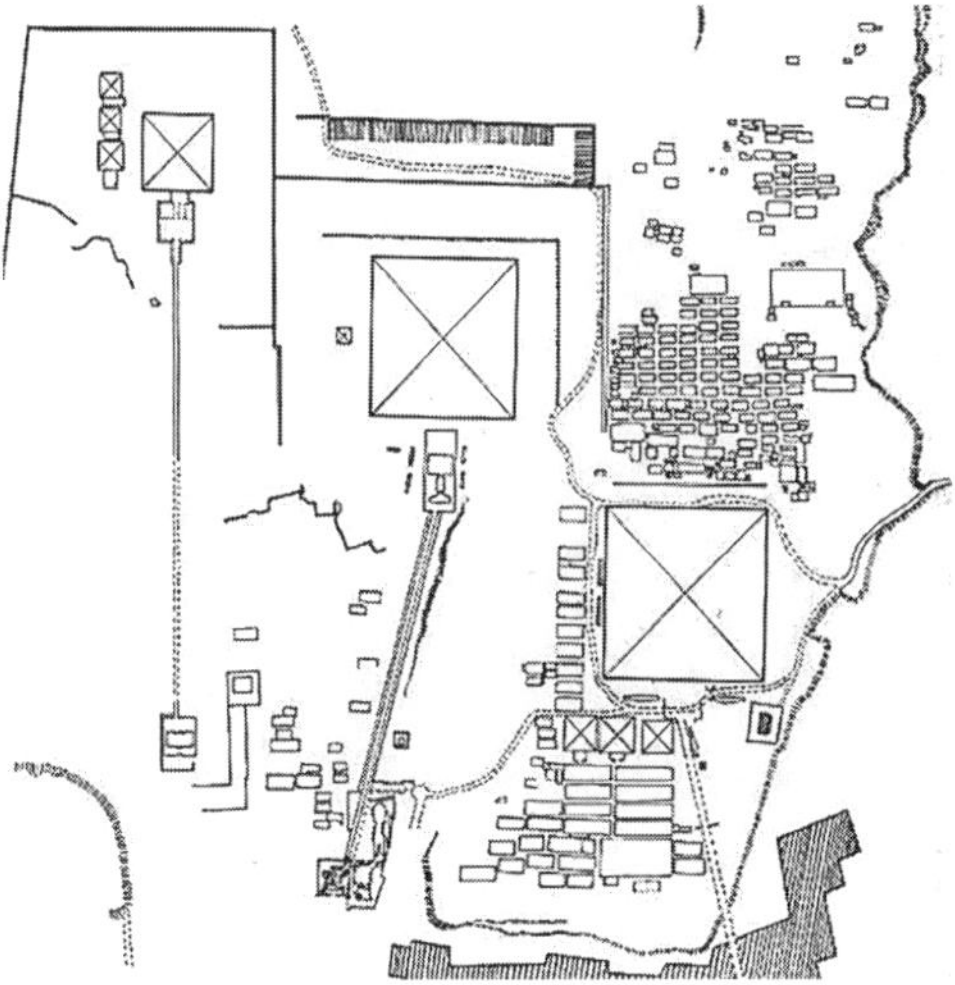

図69　エジプト、ギザのピラミッド複合体
三大ピラミッドを中心として長方形のマスタバが計画的に配列された。各施設は造営前に綿密に計画されたことが分かる（I.E.S.Edwards, *Pyramids of Egypt*, 1972より）

　一方、共同墓地の中にも墓道を軸とした都市的な景観を持つものがエトルリアで見られる。イタリア中部の古代都市、チェルベテリのバンディタッチャ共同墓地では、貴族層の円墳と方

図70　イタリア、エトルリアの墓地と墓道
墓道側にそれぞれの墓室が開口する。墳墓の造営と墓道とが一体で計画されたことを裏付ける

墳が整然とした配置で計画的に築かれている（図70）。ローマから延びたアッピア街道がこの墓地を貫通していたから、往来する人々は都市的な景観の古墳群をいやでも目にしたことだろう。その中には住居を象った「レリーフ墓」のような装飾墓も造営されており、この墓地の設計思想がエトルリア人の死生観に根差していることは疑いない。彼らは、この共同墓地の造営を通じて、死後も生前と同様の都市生活を送ることを祈願したものと考えられる。

こうした王墓と都市が接近する現象の背景としては、王墓が人々から見放されたのとは対照的に、王が自らの権力誇示のために選んだ対象が王墓から都市へ変化したことが大きいと考える。人々から見放された王墓は今や時代遅れの存在となり、王自身が造墓に固執する必然性はどこにもなかった。このため、現象的には王墓が衰退する反面、都市が繁栄するように見えるのはむしろ自然である。しかし、人々に奉仕させる対象であることに変わりはないとしても、王墓と都市は根本的に異なっていた。それは、王墓が王の代替わりで築かれるたびに高価な品々が副葬される威信財経済の思想に則っていたのに対し、都市は市民を生業労働（現在の第1次産業に該当する）から解放し、生存のために必要な物資を居住者に行き渡らせる再分配システムを構築しなければ存続できなかったからだ。言い換えると、王墓から都市にモニュメントが移り変わる背景には、威信財経済からの脱却がなければならなかったことを意味している。間違いなく、それは王墓の衰退にいっそう拍車をかけた。加えて、都市の場合には、未知の危機に対応するための王による執政も不可欠である。まさに、都市は現実的な政治を通じて未来へ投資するための舞台であり、王墓は王が理想とする過去と向き合うための場所だった。すなわち、王墓は過去へ、都市は未来へ、王が向ける眼差しのベクトルが正反対なのだ。

そうなると、王墓が衰退すると国家が成熟する理由が、単に自らの権力を誇示する対象が王墓から都市に変わったからというだけでは、やや皮相的であるように思われる。威信財経済を打破した深層には、神聖王から権力王へ王の社会的役割が変化したことと連動して、深刻な観念上の大転換も間断なく進行中だったのではなかろうか。したがって、王墓の衰退が観念の問題だとすれば、真の回答はもっと深い所にあるはずだ。

時間観念と王墓

第5章で確認したように、そもそも王墓とは、威信財の義務的贈答で蓄積される負債感を、神聖王の死を契機としてオールリセットする場所だった。ゆえにこれは、王墓を築造することで危機に瀕した社会がゼロ地点へと引き戻され、再び生命が吹き込まれるといった「循環的時間」の観念に基づいている。神聖王と共に生きた人々は、神が創り賜うた世界に終末がないのなら、この世界には始まりも終わりもなく、生々流転を繰り返しながら永遠に存続し、リセットしさえすれば理想的な形で再生されることを確信していた。したがって、死さえも最終的な帰着点ではなく、生と死は常に繰り返される永久運動ということになる。言うまでもなく、この循環的時間の観念は、神聖王のための造墓活動を固く支持するものであった。ところが、権力王段階になって、王墓が過去、都市が未来を担うといった役割分担が確立すると、時間観念にも変化が訪れた。それは、この世界が過去のある時点から未来に向かって一直線に進むという「直線的時間」の観念が成立したことだ。そのためには、過去、未来だけでなく、まず現在を定めることから始めなければならない。なお、以上のような循環的時間と直線的時間というのは、私の造語ではなく、世界の成り立ちを洞察した宗教史家M・エリアーデにならったものである。

この二つの時間観念の対立を図式的に示すならば、神聖王＝循環的時間、権力王＝直線的時間となる。そして、王墓から都市に社会的な関心が移り変わり直線的時間の観念が優勢になると、王も人々も循環的時間の観念では見落とされてきたある大事なことに気づくようになった。社会の持続性を維持するためには、過去を尊重するだけでは不十分で未来への投資が不可欠だということに。そして、未来へ投資するためには「現在」を整えなければならず、未来を志向する政治の役割が以前にもまして重要だということに。新たに発見された現在に対し、王も人々も真正面から向き合わねばならなくなったのだ。そこでは、神聖王を神に捧げさえすれば、必ずや神が理想的な社会を再生してくれるという思想はもはや捨て去らねばならなかった。しかも、権力王は自らが神となったことと引き換えに、社会にとって最も良い未来を己の力で切り拓かねばならない義務を負った。そのような状況に追い込まれた時に、王は二者択一の岐路に立たされることになる。社会の人々が結集して生み出されるエネルギーを、自らの墓の極大化に投下するか、国家制度を整備して領域支配を拡張する方向に用いるか、その答えはもはや明らかだった。

本節では王のモニュメントが王墓から都市に置き換わる背景として、循環的時間観念から直線的時間観念へと、社会の深いところで変化が進行していたことを指摘した。ここにおいて王の至上命題は、神を向いた司祭者から現実を直視し理想的な未来を創り出す執政者に変わることだった。と同時に、王墓を維持してきたもう一つの原理である威信財経済を、王は都市経営に比重を移すことで必然的に捨て去らねばならなかった。神聖王権と威信財経済を失った王墓は、国家の成熟と相反するように歴史の闇の中に消えていく。危機に瀕した社会に求められて誕生したはずの王墓は、こうして終止符を打つことになった。

第９章　王墓が人類史にもたらしたものは何か？

王墓の時代からのギフト

循環的時間に代わって直線的時間の観念が強く意識されるようになると、王墓の消滅と引き換えに、現代まで継承される人類にとっての偉大な価値が生み出された。いったいそれは何かを探ることが、「王墓の謎」を題名とする本書のフィナーレに相応しいだろう。

前章で確認した直線的時間とは、過去と未来を直線上の両端に配置し、時間は逆行せず一方向に進んでいくと捉える観念である。そうすると、出来事を一定の因果関係に基づいて配列して歴史を再構成すること、すなわち歴史の編纂が可能になる。ただし、ヘロドトスの『歴史』であれ、司馬遷の『史記』であれ、王墓と歴史とは無関係ではないかという疑問は当然出てくるだろう。しかし、ここでの論点は歴史が誕生したのはいつかではなく、たえず流れ去る時間の静止点として発見された「現在」を重視するようになったことである。そのために不可欠なのは、時間と空間を正しく計測することであった。王墓であれ都市であれ、人類史に残るような壮大なモニュメントは、天体観測に基づく暦法（占星術）と測量術の発達なくして完成はあり得なかった。

そして、これによってひとたび現在の立ち位置が固まると、過去と未来も現在を起点として見定めることができるようになった。こうして歴史を叙述する前提となる時間と空間の枠組みが確立すると、後の作業は為政者が要請する因果関係に応じて出来事を配列するだけで良い。それが蓄積していくと、やがて過去から世界の成り立ちを説明し、未来のための教訓を導き出すことを目的とした歴史叙述の方法が完成した。それを文字で書き留めることによって誕生したのが歴史書である。すべからく歴史は、現在にとって必然的な目的に従って編纂される。だから、イタリアの歴史家B.クローチェも言っている。「全ての歴史は現代の歴史だ」と。この歴史編纂という行為が、王墓からのギフトの一つだと考える。

歴史編纂が人類が過去と向き合うための手立てだとすれば、未来と正しく向き合うためにもたらされたのが宗教である。ただし、ここで言う宗教とは、まじないや呪術ではなく、博愛や平等などの全人類を包括した普遍的価値を説く世界宗教を指す。しかし、世界宗教は国家体制と同じく王墓とすこぶる相性が悪い。なぜなら、神聖王にせよ権力王にせよ、王墓を支えた神観念とは真っ向から対立するためである。このため、日本の古墳が仏教伝来以降急速に衰退したような現象が、世界各地で報告されている。たとえば、ヨーロッパには次のような例がある。

デンマークのイェリングに築造された古墳は、北ヨーロッパにおける王墓の終焉を象徴する遺跡である。10世紀後半に径約70メートル、高さ10メートルの大型円墳2基が築造されたが、それに隣接してデンマーク最古のキリスト教会が建てられた。円墳2基の間にはルーン文字で国家の起源が刻まれた石碑（ゴームの石碑、ハーラルの石碑）が、古墳と同時代に樹立されている。一方、教会の地下には王族クラスの埋葬があり、豪華な副葬品や衣装が出土した。しかし、この埋葬は当初から教会に付属したものではなく、北側の円墳から改葬された可能性が指摘されている。これは、古墳という王墓固有の葬制が、世界宗教に抗《あらが》ったものの、結果、キリスト教的な埋葬方式に吸収されてしまったことを明確に示した事例である。

王墓が世界宗教と衝突する理由は、人間は神から大きく劣った不完全な存在であり、「死」によってもその罪を贖《あがな》うことはできないという思想が世界宗教の基礎にあるためだと考える。世界宗教は人間の死をめぐる根源的な問いに対し、容赦ない答えを返して存在論を根底から揺るがした。たとえば、キリスト教によると、人間は生まれながらにして神に背かずにはいられない「罪人《つみびと》」であり、たゆまぬ信仰と善行に勤しみ、最後の審判によって救済されることを教える。仏教の教えによれば、生まれながらにして煩悩が心の中に住みついており、現世での厳しい修行を通して悟りをひらいた者だけが六道の苦しみを抜け出して極楽浄土に赴くことができると説く。つまり、世界宗教が目指したのは個人の救済であり、神と同一視された王に労働奉仕することで必ずや世界は救われるはずだという世界観はそこにはなかった。心の平安を願う人々が、いくら足掻《あが》いても神に近づくことすらできない個人（王）に対し、自己犠牲をささげることはあり得ない。

世界宗教の普及によって、死すべき人間は全知全能の神の前になす術もなく立ちすくみ、王でさえも神に近づけないことはもはや自明の理となった。その果てしない無力感にさいなまれた人間の中から、歴史に記録された過去に学び、最後の審判の時まで正しい行動を積み重ねようとする賢者が出てきても不思議ではない。彼らは、人間がその時その時で最高目標を定め自己実現を達成していくことこそ、神の計画に適《かな》った正しい行動であるという思想原理を打ち立てた。これを実践したのが、ギリシャの哲学者、中国の諸子百家、インドの釈迦などの思想家たちであった。彼らは、紀元前6世紀以降、地中海、中国、インドでほぼ同時に登場したことが知られている。人類史にとってのこの宗教・思想上の大きな画期に着目したのがK・ヤスパースである。彼はこの時代を「枢軸時代《すうじくじだい》」と呼んで高く評価した。

それでは、なぜ、人類史において枢軸時代が、王墓と同じように時代や地域を超えて訪れたのだろうか？　本書で論じてきたテーゼを踏まえるなら、当時の人類は、すでに王墓からの脱却という経験値を積んでいたことが大きかったのではないかと私は考える。むろん偉大な思想家たちは王墓を生み出した地域だけから輩出したわけではないし、王墓を築造していた頃にも賢者はいたが、その名が今に伝わっていないだけなのかもしれない。だが、王墓を失ったことで人類は、神に頼るばかりでなく「神を離れて万物に真正面から向き合う」ことを学んだ。この経験値の有無は、その後の人類史を大きく左右した。なぜなら、創造主の御業《みわざ》である自然も歴史も、綿密な観察と論理的思考を突き詰めることで、たとえ人間が不完全な存在であっても必ずや体系的かつ理論的に理解できるという確信を深めたからだ。言い換えると、王墓で行われてきたような死という最後の手段を介さなくても、全知全能の神に少しでも近づく方法はあるはずだと人間は考えるようになった。これは、現代人にも無理なく理解できる合理的な精神に基づいた姿勢である。言うまでもなく、これは後の科学的精神の誕生につながる思想的な背景ともなった。

王墓が人類史にもたらしたものは何か？　それは、王墓を脱却したことで、人類に歴史編纂、世界宗教、科学思想が芽生えたことであると結論付けたい。この三つと王墓の消滅との関係を重視する筆者の主張は、読者には多少強弁に聞こえるかもしれない。私たちにとって、世界を理解する時に歴史、宗教、科学はあまりにも身近過ぎるものだ。したがって、すでに現代人にとって縁遠くなってしまった王墓との関係をしいて評価しなくても良いのではないか、と。ただし、結論の受け止め方はさておくとしてもこれだけは確認しておきたい。本書が主題として語ってきた、人々が王の墓を造り続けた時代とは人類史にとって何ら異常な時代ではなかったことを。なぜなら、本書で確認したように王墓は人々が必要として誕生したものであり、社会的意義を喪失するや消滅したものだからだ。人類が歴史の中で創り出し、受け継ぎ、手放してきた全てのものと何ら変わらない。それが、王墓も合理的で偉大な人類遺産の一つだと私が考える所以である。仮に、王墓の時代が単なる浪費であったのなら、その消滅と引き換えに偉大な価値を残すことはおそらくなかったはずだ。

王墓を築造し続けた人々の願いは、情報技術が発達した今、実は私たちの身近なところに息づいていると思う。デジタルの世界では、データは何度も複製が可能で劣化しない。多少逆説的な表現に聞こえなくもないが、私たち人間は一種の「再生」と「不老不死」をすでに手に入れていると言えるかもしれない。バーチャルな世界の話であるが、王墓の時代に人々が夢見た世界に、人類はようやく到達できたのだ。

まとめ

最後に、本書で論じてきた内容を今一度おさらいしよう。王墓の誕生から解体に至る流れは、次の通りである。

誕生　絶え間なく降りかかる社会存続の危機に直面して、人々は「神聖王権」と「威信財経済」という痛みを伴う最後の手段を、あえて選ばねばならない状況に追い込まれた。王墓を採用するか否かは王の専決事項ではなく、人々に委ねられていた。このうち、大災害の記憶という原罪意識に駆り立てられた社会だけが、過酷な造墓労働に自ら身を投じることとなった。それが、世界各地で多様な王墓が誕生した理由である。

成長　人々から選出された神聖王は、威信財を携え神へと贈与された。その舞台が王墓であった。神聖王とは決して専制君主のような「強い王」ではなかった。しかし、いったん王墓という選択肢を選んだ以上、人々は競い合ってより美しく壮大な王墓を追求するようになった。それは、造墓活動が、取りも直さず神への奉納を意味していたからだ。その結果、次第に規模や構造が極大化し、ついには葬送複合体が成立した。それは王墓の最高峰であると同時に、終わりの始まりを告げる号砲でもあった。

挫折　ここで思わぬ事態が発生した。王の葬送儀礼を行う場所が墓から遠ざかり、葬祭殿で限られた参加者による秘儀的な儀礼が行われるようになったため、人々と王との心的距離が広がったことだ。このため、人々は自分たちが王を支えているという矜持を失い、王も捧げられる労働力が自分への奉仕だと錯覚するようになった。皮肉にも、王墓の築造が社会の分断を招くことになったのだ。さらに、王は自身の神格化を強め、むき出しの暴力で君臨する権力王に変質した。すると、葬送儀礼は形骸化し副葬品も仮器で代用されるようになった。造墓は私的な営為となり、めいめいが憧れた他界を墓室に再現する死の芸術が開花する。こうして、「神聖王権」が放棄され、王墓の衰退はますます加速する。

解体　一方、王墓の落日と相反するように、国家は成熟し空前の繁栄を迎えるようになった。王が権力を誇示する手段は、王墓から都市に移り変わる。都市は政治を通じて未来へ投資する舞台となり、王には威信財経済に代わって、必要物資を再分配し、都市を運営する経済システムを構築することが求められた。その背景には、循環的時間の観念から直線的時間の観念に重きが置かれるようになったことがある。こうした時間観念の変質に従って「威信財経済」を喪失した王墓は、ついに終止符を打った。

消滅　しかし、王墓は消滅と引き換えに、歴史編纂、世界宗教、科学思想という偉大な価値を人類に残した。それは、王墓を築き続けた時代の思想が、現代人にも無理なく理解できるような合理的な精神に根差していたからだろう。現代は、情報技術の力を借りて、かつて人々が夢見た「再生」と「不老不死」を達成したと言えるかもしれない。したがって、王墓を築き続けた時代とは、人々が無駄な浪費に明け暮れたのではない。人類史にとって新たな地平を切り開くための一大画期だったのだ。

最後に象徴的な光景を紹介して本書を閉じることにしたい。

以前に、ローマ教皇が統治するバチカン市国を訪れた時のことだ。カトリックの総本山であるサン・ピエトロ大聖堂の前に広がる広場の中央には、高さ約25メートルの

図71　バチカン、サン・ピエトロ大聖堂とオベリスク
オベリスク（左の塔）は、エジプトから運ばれ先端に彫像が飾られた。世界宗教によって王墓が変質したことを物語る象徴的な景観だ

オベリスクが立っている（図71）。これは、もとは紀元前1世紀にアウグストゥスに捧げるためにアレクサンドリアに樹立されたものだ。このオベリスクの頂点は、太陽信仰の拠り所である「ベンベン」を象った正四角錐となっている。すなわちピラミッドとルーツが同じである。

もし、ここを訪れたなら大勢の観光客の波にのって真っすぐ寺院に向かう前に、少し足を止めてこのオベリスクをじっと見つめてほしい。大聖堂を借景にして立つオベリスクの姿は、一面では王墓が単なる装飾美術の一要素となったことを物語っているが、同時に人類に偉大な価値をもたらした証であるように私には思われた。まるで人類史の中に確固たる礎を築いて消えた王墓の声なき声を代弁するかのように、栄光の時代の証言者は、静かに、しかし誇らしげにたたずんでいた。

おわりに

古墳時代を比較考古学の立場から捉えなおしたいという構想は、京都大学考古学研究室の小野山節先生の授業が出発点である。古墳時代や西アジアの考古学、比較文明論に根差した比較考古学など、本書の骨格となる「骨太の方針」はこの授業で先生が語られたものだ。当時はついていくのに精一杯だったが、考古資料の変遷に潜む構造を洞察するような一国史を超えた比較研究に触れたことは、私が王墓と装飾墓という「見せる埋葬」に研究対象を見定めるきっかけとなった。しかし、当時から比較考古学については、時代や地域もバラバラな考古資料を比較することに何の意味があるのかという懐疑の声が大きかった。1977年に英国の考古学者であるグラハム・クラークが『世界先史学』を執筆し、日本でもほぼ同時期に共同研究「王陵の比較研究」(研究代表　小野山節)で先鞭が付けられたけれども、その先見性が広く認められるには少なくとも20年が必要だった。そして、今や比較考古学は、かつてなかったほどの注目を浴びている。しかし、日本の考古学ではグローバリズムへの反動のためか、個別細分化の保守的傾向が強まっている。コロナ・パンデミックによるさまざまな規制のため国際共同研究が目に見えて減少し、閉鎖性にいっそう拍車がかかっているように思う。政治面、経済面と同じく学術面でも一種の袋小路に陥っているのではないか。しかし、私たちはこの不都合な真実から目を背けているわけではなく、抜け出そうと日夜苦闘を続けている。とくに、人間社会を研究対象とする歴史学は総合的な学問で、危機の時代ほどその真価を発揮するはずである。そして、そのとおり、2023年の秋に一筋の希望の光が差し込んできた。人類学者D.グレーバーと考古学者D.ウェングロウの共同作業によって、人間社会の成り立ちへの理解を根底からひっくり返した『万物の黎明』(酒井隆史訳)の刊行である。その内容は、本書のテーゼと関わる部分が少なくない。

この『万物の黎明』の内容は特定分野を超え、読書人に大きな衝撃をもって受け止められた。その論点は以下の通りだ。人類史は二つの見方に支配されている。「平等な狩猟採集民の集団規模が拡大し、都市が出現すると、家父長制、常備軍、大量殺戮《さつりく》、官僚制というすべての不平等が出現した」というルソー説と、「人間は利己的な生物だから、自然状態では万人が万人と争い合う戦争状態になるので、抑圧的機構は必要だった」というホッブズ説だ。しかし、グレーバーおよびウェングロウによるといずれも誤っている。人類はもっと賢明で、自由だったはずで、複雑かつ変幻自在にさまざまに形を変えるのが人間社会だという視点に立って、農耕開始以降の歴史叙述を呪縛してきた「革命史観」からの解放を訴える。

正直なところを言えば、私はこの書に大きな啓示と勇気をもらった。本書の最初の着想は、今から約30年前に遡る。しかし、そのときは読者を納得させる自信がなかったことを告白しなければならない。しかし、『万物の黎明』を知った今は確信をもって、その着想を形にして世に問うことができる。とくに、王墓を築くことをそれ以外の選択肢よりも上に置くのではなく、最後の手段だったと見る視点の重要性に気づかせてくれたことは大きい。

最後に、本書に込めた私の思いを繰り返しておきたい。王のための造墓を続けた社会は異様ではなく、人類史的に見ても無駄な時代ではない。造墓活動は、決して王の虚栄心を満足させるためのブルシット・ジョブ（クソどうでもいい仕事）ではなかった。なかでも、権威や富を集中させない機構を埋め込んで、恒久的な社会の再生産を目論んだ王墓という人類の発明は、全世界に閉塞感が行き渡り、先行きを見失っている現代人こそ見習うべきアイデアなのではなかろうか？　その意味で、私たちが歴史から学ぶことはまだまだ尽きない。

最後にお世話になった組織・個人を以下に示し謝辞に代える（順不同・敬称略）。

京都大学文学部考古学研究室、京都大学埋蔵文化財研究センター、（財）京都府埋蔵文化財調査研究センター、群馬県立歴史博物館、堺市世界遺産課、奈良県立橿原考古学研究所、東京国立博物館、京都国立博物館、九州国立博物館、九州歴史資料館、福岡県九州国立博物館・世界遺産室。

小野山節、網谷克彦、井出浩正、伊藤淳史、大賀克彦、岡村秀典、河野正訓、岸本直文、小池寛、黄暁芬、小堀昇、佐々木憲一、下垣仁志、杉山三郎、清喜裕二、多賀茂治、高野陽子、高橋克壽、高橋照彦、都出比呂志、鄭仁盛、中川和哉、新納泉、西川寿勝、野島永、土生田純之、橋本達也、肥後弘幸、菱田哲郎、広瀬和雄、福永伸哉、藤澤敦、古谷毅、北條芳隆、朴天秀、前川和也、松木武彦、桃﨑祐輔、森下章司、柳沢一男、柳本照男、山中一郎、山本亮、吉井秀夫、吉田広、和田晴吾。

この中にはすでに鬼籍に入られた方もおられる。遅々として進まぬ筆者の調査研究を見守っていただいた学恩に心から感謝を捧げると共に、今後も忌憚のないご意見やご指導を賜ることを願って本書を上梓する。最後に、十分に家庭を顧みることもできない私を常に支えてくれる妻と3人の子供たちにも心からの感謝を捧げたい。

参考文献と各章の解題

第1章　導入部として、王墓の発見への情熱に基づいて「王墓＝権力の象徴」という定説がなぜできあがったかを振り返る。とくに、「歴史の沈黙せる処は、墳墓之を語る」と考古学で語られている格言に象徴される考え方が、王墓にまつわる考古学の定説を形作り、日本の考古学にも大きな影響を及ぼしていることを説く。20年以上前に王墓の問題を取り上げたのが、都出比呂志『王陵の考古学』だ。本書と結論は違うけれども新書版で読みやすい好著である。

- H．カーター著、酒井傳六ほか訳『ツタンカーメン発掘記』筑摩書房、１９７１年
- 杉山三郎ほか監修『特別展古代メキシコ―マヤ、アステカ、テオティワカン　展覧会図録』ＮＨＫ・ＮＨＫプロモーション・朝日新聞社、２０２３年
- 李済著、国分直一訳『安陽発掘』新日本教育図書、１９８２年
- 河野一隆『王墓と装飾墓の比較考古学』同成社、２０２１年
- 河野一隆『装飾古墳の謎』文藝春秋、２０２３年
- J．H．スチュワード著、米山俊直・石田紝子訳『文化変化の理論――多系進化の方法論』弘文堂、１９７９年
- 都出比呂志『王陵の考古学』岩波書店、２０００年
- 都出比呂志『日本農耕社会の成立過程』岩波書店、１９８９年
- 濱田耕作「日本の古墳に就いて」『東亜考古学研究』荻原星文館、１９４３年
- G.Dennis, The Cities and Cemeteries of Etruria, J.Murray, London, 1883
- G.P.Murdock, C.S.Ford, A.E.Hudson, R.Kennedy, L.W.Simmons, J.W.M.Whiting, Outline of Cultural Materials,

1988（国立民族学博物館訳『文化項目分類』）

第2章　王墓とは何かについて構成要素を検討した。巨大な地上構造物や埋葬施設、葬送複合体、殉葬・犠牲と装飾された墓室や棺が王墓を特徴付ける要素であることを確認した。小野山節編『王陵の比較研究』は、現在入手困難だが、本書の構想に大きな影響を与えた共同研究の成果をまとめた先駆的かつ独創的な書である。

- L．ウーリー、P．R．S．モーレー著、森岡妙子訳『カルデア人のウル』みすず書房、1986年
- 小野山節編『王陵の比較研究』京都大学文学部考古学研究室、1981年
- 加藤一朗「ジョセル王の階段ピラミッド」『王陵の比較研究』京都大学文学部考古学研究室、1981年
- 九州国立博物館編『草原の王朝　契丹　美しき3人のプリンセス』西日本新聞社、2011年
- 鄒衡著、北京大学考古学研究室編、宇都木章ほか訳『商周考古学概説』燎原書店、1989年
- 楊寛著、西嶋定生監訳『中国皇帝陵の起源と変遷』学生社、1981年
- V.G.Childe, Directional Changes in Funerary Practices during 50,000 years, *Man* 45, Royal Anthropological Institute of Great Britain and Ireland, 1945

第3章　「王墓＝権力の象徴」説を歴史認識論にまで遡って批判的に検討し、それに代わる枠組みとして比較文明論による歴史の捉え方が有効であることを提示した。エンゲルス『家族・私有財産・国家の起源』は歴史研究の出発点である。比較文明論への入門では、伊東俊太郎『文明の誕生』および山本新『文明の構造と変動』が的確な内容で読み易い。

- 伊東俊太郎『文明の誕生』講談社、1988年

• F．エンゲルス著、戸原四郎訳『家族・私有財産・国家の起源』岩波書店、１９６５年
• 大塚久雄『共同体の基礎理論――経済史総論講義案』岩波書店、１９５５年
• K．A．ウィットフォーゲル著、アジア経済研究所訳『東洋的専制主義――全体主義権力の比較研究』論争社、１９６１年
• O．シュペングラー著、村松正俊訳『西洋の没落』第１・２巻、五月書房、１９７１年
• A．J．トインビー著、蠟山政道・阿部行蔵・長谷川松治訳『歴史の研究』社会思想研究会出版部、１９５６年
• A．J．トインビー著、長谷川松治訳『続・歴史の研究』社会思想研究会出版部、１９５８年
• A．J．トインビー著、下島連ほか訳『歴史の研究　再考察』第１～３、経済往来社、１９６９年
• A．J．トインビー著、桑原武夫ほか訳『図説　歴史の研究』学習研究社、１９７５年
• I．ハルドゥーン著、森本公誠訳『歴史序説』１～３、岩波書店、１９７９～１９８７年
• K．マルクス著、手島正毅訳『資本主義生産に先行する諸形態』大月書店、１９８３年
• 山本新『文明の構造と変動』創文社、１９６１年
• R.McC.Adams, The Evolution of Urban Society, *Early Mesopotamia and Prehispanic Mexico*, The University of Rochester, 1966
• H.J.M.Claessen and P.Skalnik（eds）*The Early State*, Mouton Publishers, 1978
• H.J.M.Claessen and P.Skalnik（eds）*The Study of the State*, Mouton Publishers, 1981
• V.G.Childe, *Social Evolution*, Watts, London 1951
• V.G.Childe, The Urban Revolution, *Town Planning Review* vol.21, Liverpool University Press, 1950
• H.Frankfort, *Kingship and the Gods*, University of Chicago Press, 1948

・H.Frankfort, *The Birth of Civilization in the Near East*, Ernest Benn, 1954
・C.Renfrew, *Approaches to Social Archaeology*, Harvard University Press, 1984

第4章　最初に王墓に葬られた王は専制君主ではなく、神聖性をまとわせるために社会の中から選ばれた「弱い王」であることを指摘した。通過儀礼を組み入れて神聖性を創出する聖域の機能について確認し、王墓の築造には神への奉納を集団間で競い合う祭礼と同じ役割があったことを指摘した。本書の骨格の一つでもあるJ．フレイザー『金枝篇』は必読の古典である。

・小田富士雄編『古代を考える　沖ノ島と古代祭祀』吉川弘文館、1988年
・R．エルツ著、吉田禎吾ほか訳「死の宗教社会学——死の集合表象研究への寄与」『右手の優越』垣内出版、1980年
・A．ファン・ヘネップ著、綾部恒雄・綾部裕子訳『通過儀礼』弘文堂、1977年
・J．フレイザー著、メアリー・ダグラス監修、内田昭一郎・吉岡晶子訳『図説　金枝篇』東京書籍、1994年
・A．M．ホカート著、橋本和也訳『王権』人文書院、1986年
・E.R.Service, *Origins of the State and Civilization*, Norton, New York, 1974

第5章　王墓誕生のもう一つの原理である威信財経済について、M．モースの「贈与論」との関係で取り上げた。現在、威信財論は考古学で濫用されているが、モース「贈与論」に真摯に向き合い、威信財の副葬は神への贈与（異次元交換）であることを指摘した。B．マリノフスキー『西太平洋の遠洋航海者』は、威信財の交換がなぜ神聖性と結びつくのかについて深い洞察を与える書である。

- 伊藤幹治『贈与交換の人類学』筑摩書房、1995年
- D. グレーバー、D. ウェングロウ著、酒井隆史訳『万物の黎明――人類史を根本からくつがえす』光文社、2023年
- M. サーリンズ著、山内昶訳『石器時代の経済学』法政大学出版局、1984年
- 嶋田義仁『異次元交換の政治人類学――人類学的思考とはなにか』頸草書房、1993年
- K. ポランニー著、玉野井芳郎ほか訳『経済の文明史――ポランニー経済学のエッセンス』日本経済新聞社、1975年
- B. マリノフスキー著、寺田和夫・増田義郎訳『西太平洋の遠洋航海者』中央公論社、1967年
- M. モース著、有地亨・伊藤昌司・山口俊夫訳「贈与論――太古の社会における交換の諸類型と契機」『社会学と人類学』I、弘文堂、1973年
- J.Friedman, M.J.Rowlands, Notes towards an epigenetic model of the Evolution of "Civilization", *The Evolution of Social Systems*, London University, 1978

第6章　「神聖王権」と「威信財経済」に注目して、王墓が誕生しなかった社会、王墓を拒絶した社会、王墓が自力で発生した社会、交流によって王墓が誕生した社会という四つの類型に整理した。さらに、人々が過酷な造墓労働に自らを駆り立てたきっかけは、社会の中で大災害の記憶という原罪意識が共有されていたことを指摘した。ここでは、執筆の参考とした各地域の王墓の展開を概説した論文や図書を挙げている。

- 江上波夫ほか編『古代トラキア黄金展：バルカンに輝く騎馬民族の遺宝』中日新聞社、1979年
- 小野山節「王陵」『オリエント・地中海世界』I、世界歴史第2巻、人文書院、1966年
- 小野山節「Mesopotamiaにおける帝王陵の成立」『西南アジア研究』8、西南アジア研究会、1962年

- 近藤義郎編『アイルランド墳丘墓群――ロッホクルーを中心として』真陽社、2011年
- G.コナー著、近藤義郎訳『熱帯アフリカの都市化と国家形成』河出書房新社、1993年
- 増田義郎ほか監修『黄金王国モチェ発掘展――古代アンデス・シパン王墓の奇跡』TBSテレビ、2000年
- 島田泉ほか編『古代アンデス文明展』TBSテレビ、2017年
- M.D.コウ著、寺田和夫ほか訳『マヤ』世界の考古学シリーズ、学生社、1990年
- 後藤健「アラビア湾岸古代文明の『王墓』」『アジアの王墓』アジア考古学四学会、高志書院、2014年
- 佐々木憲一「北アメリカ先史時代のマウンド築造」『世界の眼でみる古墳文化』国立歴史民俗博物館、2018年
- 関雄二『古代アンデス　権力の考古学』京都大学学術出版会、2006年
- J.チャドウィック著、大城功訳『線文字Bの解読』みすず書房、1962年
- 張光直著、小南一郎・間瀬収芳訳「殷代礼制中にみられる二分化現象」『中国青銅時代』平凡社、1989年
- 津本英利「ケルト人の王墓」『アジアの王墓』アジア考古学四学会、高志書院、2014年
- 中村慎一「中国の王墓」『アジアの王墓』アジア考古学四学会、高志書院、2014年
- 林俊雄「中央アジアの王墓」『アジアの王墓』アジア考古学四学会、高志書院、2014年
- 馬場匡浩「エジプトの王墓」『アジアの王墓』アジア考古学四学会、高志書院、2014年
- T.G.E.パウエル著、笹田公明訳『ケルト人の世界』東京書籍、1990年
- 実松克義『アマゾン文明の研究――古代人はいかにして自然との共生をなし遂げたのか』現代書館、2010年
- 山本茂、加藤一朗「オリエントの灌漑文明」『古代文明の形成』古代史講座3、学生社、1962年

- 吉井秀夫『古代朝鮮　墳墓にみる国家形成』諸文明の起源13、京都大学学術出版会、２０１０年
- 吉國恒雄『グレートジンバブウェ――東南アフリカの歴史世界』講談社、１９９９年
- 李済著、国分直一訳『安陽発掘』新日本教育図書、１９８２年
- C．レヴィ＝ストロース著、荒川幾男ほか訳『構造人類学』みすず書房、１９７２年
- M．ロストウツエフ著、坪井良平ほか訳『古代の南露西亜』桑名文星堂、１９４４年
- 王世民「中国春秋戦国時代的塚墓」『考古』１９８１年第５期、科学出版社、１９８１年
- 王仲殊「中国古代墓葬概説」『考古』１９８１年第５期、科学出版社、１９８１年
- 黄展岳「中国西安　洛陽漢唐陵墓的調査与発掘」『考古』１９８１年第６期、科学出版社、１９８１年
- 楊鴻勛「関於秦代以前墓上建築的問題」『考古』１９８２年第４期、科学出版社、１９８２年
- 楊鴻勛「戦国中山王陵及兆域図研究」『考古学報』１９８０年第１期、科学出版社、１９８０年
- A.Evans, *The Shaft Graves and Bee-hive Tombs of Mycenae and their Interrelation*, Macmillan and Co, Ltd., 1922
- W.B.Emery, *Archaic Egypt*, Penguin 1st edition, 1961
- I.E.S.Edwards, *Pyramids of Egypt*, Studio, 1972
- O.R.Gurney, *The Hittites*, 1st edition, 1952
- D.C.Kurtz, J.Boardman, *Greek Burial Customs*, Thames and Hudson, 1971
- M.E.L.Mallowan, *The Early Dynastic Period in Mesopotamia*, Cambridge Ancient History, Volume 1, 1971
- J.Mellaart, *The Archaeology of Ancient Turkey*, The Bodley Head, London, 1978
- G.A.Reisner, *The Development of the Egyptian Tomb down to the Accession of Cheops*, Harvard University Press, 1936
- B.G.Trigger, B.J.Kemp, D.O'Connor, A.B.Lloyd, *Ancient Egypt, a social history*, Cambridge University Press, 1983

- J.M.C.Toynbee, *Death and Burial in the Roman World*, Cornell University Press, 1971
- R.E.M.Wheeler, Brahmagiri and Chandravalli 1947: Megalithic and other Cultures in the Chitaldrug District, Mysore State, *Ancient India* No.4, Archaeological Survey of India, 1948.
- C.L.Woolley, *Ur Excavations II, The Royal Cemetery*, The Trustees of the Two Museums, 1927
- C.L.Woolley, *Ur Excavations VI, The Buildings of the Third Dynasty*, The Trustees of the Two Museums, 1974

第7章　神聖王が神格化することで権力王へ変質することを論じる。王墓が極大化した頂点の葬送複合体が成立すると、王と人々との心的距離が遠ざかり、王墓誕生の前提となった神聖王権が放棄されてしまう。王が権力王に変質すると、副葬品は仮器化し葬送儀礼も形骸化した。さらに、造墓が私的な営為となる傾向が強まる中で、死の芸術＝装飾墓・装飾棺が流行したことを示した。とくに、町田章『古代東アジアの装飾墓』は、装飾墓に比較考古学の視点をはじめて導入した画期的な書である。

- L.ウーリー著、瀬田貞二・大塚勇三訳『ウル』みすず書房、１９５８年
- M.パロッティーノほか著、青柳正規・大槻泉・新喜久子訳『エトルリアの壁画』岩波書店、１９８５年
- 藤縄謙三「ポリスの成立」『古代』1、岩波書店、１９６９年
- F.ブローデル著、浜名優美訳『地中海』1〜5、藤原書店、１９９１〜１９９５年
- ヘロドトス著、松平千秋訳『歴史』上・中・下、岩波書店、１９７１〜１９７２年
- 町田章『古代東アジアの装飾墓』同朋舎出版、１９８７年

第8章　王墓は時代遅れとなり社会的意義を失った。王は自らの権力の誇示のため、王墓より都市を選び、国家の成熟に一段と拍車がかかる。一方、都市では運営に適した経済システムの構築が急がれるようにな

った。その背景に、循環的時間の観念から直線的時間の観念への推移があった。王墓を誕生させた原理の一つである威信財経済を喪失したことで、王墓は人類史から姿を消した。

- M．エリアーデ著、堀一郎訳『シャーマニズム』上・下、筑摩書房、２００４年
- 黄暁芬『古代東アジア都市の構造と変遷』同成社、２０２２年
- M．ウェーバー著、世良晃志郎訳『支配の社会学』Ⅰ、創文社、１９６０年

第9章　王墓が消滅するのと引き換えに、人類は歴史編纂、世界宗教、科学思想を獲得した。王墓は決して人類史の中で異常な時代を象徴するものではない。現代にまで継承される偉大な価値を創出し、合理性に基づく人類史の新たな地平を切り拓いた時代であった。王墓とはかけがえのない人類史の遺産であることを提言した。

- E．H．カー著、清水幾太郎訳『歴史とは何か』岩波書店、１９６２年
- R．G．コリングウッド著、小松茂夫・三浦修訳『歴史の観念』紀伊國屋書店、１９７０年
- K．ヤスパース著、重田英世訳『歴史の起原と目標』河出書房新社、１９７３年
- B.Croce, History as the Story of Liberty, G.Allen and Unwin, 1941

N.D.C. 202　236p　18cm
ISBN978-4-06-535812-2

講談社現代新書　2745
王墓《おうぼ》の謎《なぞ》
二〇二四年五月二〇日第一刷発行

著者　河野《かわの》一隆《かずたか》

発行者　森田浩章
発行所　株式会社講談社
東京都文京区音羽二丁目一二―二一　郵便番号一一二―八〇〇一
電話　〇三―五三九五―三五二一　編集（現代新書）
〇三―五三九五―四四一五　販売
〇三―五三九五―三六一五　業務
装幀者　中島英樹／中島デザイン
印刷所　株式会社ＫＰＳプロダクツ
製本所　株式会社国宝社
定価はカバーに表示してあります　Printed in Japan

「講談社現代新書」の刊行にあたって

教養は万人が身をもって養い創造すべきものであって、一部の専門家の占有物として、ただ一方的に人々の手もとに配布され伝達されうるものではありません。

しかし、不幸にしてわが国の現状では、教養の重要な養いとなるべき書物は、ほとんど講壇からの天下りや単なる解説に終始し、知識技術を真剣に希求する青少年・学生・一般民衆の根本的な疑問や興味は、けっして十分に答えられ、解きほぐされ、手引きされることがありません。万人の内奥から発した真正の教養への芽ばえが、こうして放置され、むなしく滅びさる運命にゆだねられているのです。

このことは、中・高校だけで教育をおわる人々の成長をはばんでいるだけでなく、大学に進んだり、インテリと目されたりする人々の精神力の健康さえもむしばみ、わが国の文化の実質をまことに脆弱なものにしています。単なる博識以上の根強い思索力・判断力、および確かな技術にささえられた教養を必要とする日本の将来にとって、これは真剣に憂慮されなければならない事態であるといわなければなりません。

わたしたちの「講談社現代新書」は、この事態の克服を意図して計画されたものです。これによってわたしたちは、講壇からの天下りでもなく、単なる解説書でもない、もっぱら万人の魂に生ずる初発的かつ根本的な問題をとらえ、掘り起こし、手引きし、しかも最新の知識への展望を万人に確立させる書物を、新しく世の中に送り出したいと念願しています。

わたしたちは、創業以来民衆を対象とする啓蒙の仕事に専心してきた講談社にとって、これこそもっともふさわしい課題であり、伝統ある出版社としての義務でもあると考えているのです。

一九六四年四月　野間省一

世界史Ⅰ

834 ユダヤ人——上田和夫

930 フリーメイソン——吉村正和

934 大英帝国——長島伸一

968 ローマはなぜ滅んだか　弓削達

1017 ハプスブルク家——江村洋

1019 動物裁判——池上俊一

1076 デパートを発明した夫婦　鹿島茂

1080 ユダヤ人とドイツ——大澤武男

1088 ヨーロッパ「近代」の終焉——山本雅男

1097 オスマン帝国——鈴木董

1151 ハプスブルク家の女たち　江村洋

1249 ヒトラーとユダヤ人　大澤武男

1252 ロスチャイルド家　横山三四郎

1282 戦うハプスブルク家　菊池良生

1283 イギリス王室物語——小林章夫

1321 聖書vs.世界史——岡崎勝世

1442 メディチ家——森田義之

1470 中世シチリア王国——高山博

1486 エリザベスⅠ世——青木道彦

1572 ユダヤ人とローマ帝国　大澤武男

1587 傭兵の二千年史——菊池良生

1664 新書ヨーロッパ史 中世篇　堀越孝一 編

1673 神聖ローマ帝国——菊池良生

1687 世界史とヨーロッパ　岡崎勝世

1705 魔女とカルトのドイツ史——浜本隆志

1712 宗教改革の真実——永田諒一

2005 カペー朝——佐藤賢一

2070 イギリス近代史講義——川北稔

2096 モーツァルトを「造った」男——小宮正安

2281 ヴァロワ朝——佐藤賢一

2316 ナチスの財宝——篠田航一

2318 ヒトラーとナチ・ドイツ　石田勇治

2442 ハプスブルク帝国——岩崎周一

世界史Ⅱ

959 東インド会社——浅田實
971 文化大革命——矢吹晋
1085 アラブとイスラエル 高橋和夫
1099 「民族」で読むアメリカ 野村達朗
1231 キング牧師とマルコムX 上坂昇
1306 モンゴル帝国の興亡〈上〉——杉山正明
1307 モンゴル帝国の興亡〈下〉——杉山正明
1366 新書アフリカ史——宮本正興 松田素二 編
1588 現代アラブの社会思想 池内恵
1746 中国の大盗賊・完全版——高島俊男
1761 中国文明の歴史——岡田英弘
1769 まんが パレスチナ問題 山井教雄
1811 歴史を学ぶということ 入江昭
1932 都市計画の世界史——日端康雄
1966 〈満洲〉の歴史——小林英夫
2018 古代中国の虚像と実像 落合淳思
2025 まんが 現代史——山井教雄
2053 〈中東〉の考え方——酒井啓子
2120 居酒屋の世界史——下田淳
2182 おどろきの中国 橋爪大三郎 大澤真幸 宮台真司
2189 世界史の中のパレスチナ問題 臼杵陽
2257 歴史家が見る現代世界 入江昭
2301 高層建築物の世界史 大澤昭彦
2331 続 まんが パレスチナ問題 山井教雄
2338 世界史を変えた薬 佐藤健太郎
2345 鄧小平——エズラ・F・ヴォーゲル 聞き手＝橋爪大三郎
2386 〈情報〉帝国の興亡——玉木俊明
2409 〈軍〉の中国史——澁谷由里
2410 入門 東南アジア近現代史 岩崎育夫
2445 珈琲の世界史——旦部幸博
2457 世界神話学入門——後藤明
2459 9・11後の現代史 酒井啓子